麻薬
舞台

元警視庁刑事
北芝 健

さくら舎

はじめに

酒もタバコも「麻薬」です。国が税金を徴収するために合法化しているだけのこと。

それはそれとして……。

あらゆる犯罪の中でも、麻薬くらい関係する人間、組織の多岐にわたるものはない。麻薬捜査といっても、いったい誰が主人公なのか確定するのは難しいのです。犯罪を犯した個人なのか。最終的に収益を得る者なのか。

それを誘った麻薬の提供者なのか。追跡して摘発する捜査組織なのか。

報道では、タレント、有名人の名前が出ます。ヤクザが裏にいることは誰でも知っています。捜査官は、警察、そして厚生労働省所属の麻薬取締官、マトリ。私は刑事として捜査に関わってきました。

麻薬は、国内で完結するものではありません。それをつくっているのは、海外の麻薬組織です。

伝説的な、タイ・ラオス・ミャンマー国境にある黄金の三角地帯のアヘン、南米のコカイン、そして北朝鮮の国家的な意図による覚醒剤の密造と密輸。大麻は紛争地帯のアフガンあたりが有名ですが、国内外あらゆるところから入ってきます。

これらには、各国のマフィア組織、テロ組織、国家権力そのもの、そして一般人が関わっています。その流通には、外国人売春婦、ヤクザ周辺の半グレなど、それを受けもつ者たちがいます。一般人も無邪気に手を貸しています。

国内を見ると、新宿、六本木、渋谷と麻薬の取引される盛り場は変遷してきました。いまや、多様化した麻薬は、クラブ文化とともに全国に拡散しています。

麻薬の乱用期は、第二次世界大戦末期の覚醒剤であるヒロポンの第1次からはじまり、第3次の乱用期を過ぎ、厄介な第4次が始まっているという指摘もあります。私は、安全保障の観点からこの立場に立っています。

麻薬が存在する大きな理由の1つは、政治的な怒りを生む世界の南北の理不尽なまでに大きな経済格差でしょう。貧困地帯で製造され、富裕な地帯で消費される。戦争地帯で製造され、平和な地域で消費される。それが麻薬の特徴であり、実態です。

麻薬は、現代の病根といえばいえるでしょうが、じつは古い問題でもあります。人類史始まって以来、麻薬は登場し、その役割を変貌させています。その始まりのとき、麻薬は「いいもの」でした。痛みを取るクスリであり、宗教的な陶酔を誘うものでした。

今でも同じ側面があります。苦しさを忘れるためにする。ストレスを除くためにする。インスピレーション、通常の意識では感知できない超感覚を得るためにする。娯楽用大麻の解禁をもっとも強くいいつのるのは、カナダの解禁を好感するアーティストたちです。

大麻は実のところ、安全なものではありません。大麻による酩酊《めいてい》はアルコールと同じく、自動車事故、飛行機事故を誘発します。その人に潜んでいた精神的な問題を顕在化させる危険もあるのです。

アルコールという薬物は、イスラム圏では禁止だし、欧米でも往来や公衆の面前での大っぴらな飲酒は許されていません。日本人は花見酒という、公的な場所で羽目をはずす文化をもっていますから、解禁すれば、ひょっとしてあたりかまわず大麻酒とか？

解禁するかしないかは、世界の流れと日本の政策の判断ですが、学生時代のイギリス留学、世界放浪とさまざまな経験をし、また捜査員として各国で調査にあたって見てきたところでは、麻薬に寛容といわれている現地は、どこも危険に満ちています。

麻薬が人に与えるものの1つは、いわゆる多幸感。それが一時的なものであれ、幸福感です。幸福こそ、人間が最終的に求めるものですから、その当たり前すぎる懸命さに、クスリという安直さが合致し、麻薬は流通するわけです。

つけ込んでくる者たちは、容赦ない面々です。その裏に組織があり、その組織は莫大なゼニを求めている。大きな収益を最小の労力で得るマインドです。

かくして忍耐に次ぐ忍耐、知能の限りを尽くして、噂を拾い、地道なデータを積み上げ、麻薬捜査は、隠された犯罪の糸口をたぐります。10年待つなんて当たり前。完勝はなく、ポイントを1つ上げるだけですから、タフなゲームです。

報道されるのは、ほんの一角。周辺には膨大な一般人がいて、好奇心、あるいは過酷な仕事の必要から麻薬に手を染めています。令和2年の大麻による検挙者数は過去最多の5000人超、覚醒剤は8000人オーバーです。

麻薬は撲滅できるとも、できないともいえない。

世界中の「ワル?」が総登場しての、どこまでも果てしなくつづく人間ドラマ。これは一種の驚異です。私は、なぜかどぎつい世界が好きなテストステロン優位の性分なので、命知らずに渦中を駆けずり回ってきましたが、こんなドラマは、外側から眺めて驚嘆し、身につまされ、笑っているに限る、と人には言っています。

そんなことはわかっていたはずなのに、ひょんなことから、自分の人生を投じて、愚かな役柄を演じている。

覚醒剤に、はまってしまったらどんなにヤバいか、そんなことは今さらもういいません。しかし……手を出してしまっても、かりに深みにはまっても、やめることはできる。必ずやめられます。

私の祖父、父、母は医師として中毒者を更生させてきました。幾多の事例を見た私にはそう言い切る自信があります。

目次◆麻薬捜査の裏舞台

第2章　麻薬と芸能界とヤクザ

第3章　麻薬捜査　警察VS.マトリ

第4章　麻薬乱用期は何度も来る

第5章　麻薬の種類　神仏の恵みか、悪魔の手先か

第6章　麻薬はやめられる

あとがき

麻薬捜査の裏舞台

第1章　海外の麻薬事情

逆行するオランダ

各種の麻薬の中で、大麻は微妙な位置にあります。

末期がんなどの苦痛を緩和するための大麻療法もあり、害が少ないことは、大方が認めるところです。ところが、ほかの危険薬物の使用への入口になるという「ゲートウェイ理論」によって危険視されています。

一方、それには根拠がないという論証もあります。

メディアを含め、いろんな芸術家たちの「解禁すべき」「解禁すべき」という声がここ30年ぐらいずっとあり、とても大きな声になってきています。その声の支えの1つとして、大麻に寛容なオランダのケースがあげられていました。

ところがオランダ政府は、外国人の大麻購入を禁止にしてしまった。もう何年も前から観光客の大麻購入はフリーではありません。オランダ人以外には売らない、となってしまいました。

ヨーロッパでは、許容からだんだん規制する方向にあります。やっぱり買えるところは絞ろうということになっています。大麻を許容した当時のオランダでは、大臣クラスの政治家が、公然と「大麻をやったぞ、キメてきたぞ」と発言して、それが議会の速記録に載るという状況だったのが、いま風向きが変わってきた。

政治家も選挙に受かりたい。そのために「私はちゃんとした人間です」ということを証明しようとして、規制を進めています。

かつては、オランダのアムステルダム市内に2つの公認の販売所がありました。メルクベークとパラディソ。英語でいえばミルキーウェイとパラダイス。銀河と楽園。そこへ行くと、顎髭を生やしたヒッピーみたいな人が「何グラム？」と売ってくれた。それは政府公認でした。

消えた2枚目のメニュー

運河沿いの売春窟の真ん前が、カフェになっています。観光名所で、メニューが2種類出てくることで知られていました。1つはコーヒーとサンドイッチのメニュー。もう1つには大麻の原産地が書いてある。

たとえば「タイ」だとかの国名が書いてあります。観光客は、そのリストを見て「タイか、ブッダいいねえ」「お、これはモロッコかな」「いや、これ安いけどやめよう」なんてやっていた。ところが、それがなくなった。

政府が方針転換してからは、メニューは1種類しか出てこなくなりました。観光客には売らない。オランダ国籍の者だけに売る。では、まったく買えないのかというと、こういったものには必ず裏があり、買えるのです。

国籍云々といっても、正確なオランダ語をしゃべれば、オランダ国籍を持つものとみなされるレベルです。オランダ人には黒人もいるし、インドネシア出身の人もいます。もちろん白人もいます。いろんなオランダ人が観光客に頼まれて、金をもらって代理買いつけしているというのが現状です。

アダルトショップとマフィア

大麻が手に入るのは、カフェだけではなくて、観光客が入るセックスショップもその1つです。そこに行くと大人のおもちゃとか、飲んだらカッとくるようなドリンク剤とか、そういう類のものをあつかっています。

そことくっついたセックスショーを見せています。音も聞こえるわ、においも来るわで、もうみんなおかしくなる。そのときに大麻が欲しくなるのです。

観光客には売りませんから、買いつけるのに、自分で行ってはダメ。そのへんにいるオランダ人に頼むのだけれども、彼らはだいたいマフィアです。

政府公認の大麻販売所がなくなったオランダでは、友人等から安直に入手しないオランダ人も観光客と同じく、カフェやアダルトショップで購入しています。

スイスの麻薬の解放区

先進国で麻薬を撲滅した国はあるのか？　ありません。スイスが成功したといわれているのは、解放区をつくった時期のことでした。以前、チューリッヒのプラッツシュピッツという公園を麻薬フリーにして、そこだけに麻薬を封じ込めようとした。あとは厳しく取り締まったので成功したというけれども、そんなのうそでしょう。

スイスは一時、麻薬汚染がひどかった。オランダどころじゃなかった。オランダは大麻を許容して、為政者まで吸っていたというけれども、スイスはヘロインから何から何まで全部の麻薬でしたから。

公園の木にいっぱい針が刺さっていたというから、凄まじいかぎりです。プラッツシュピッツには、日本人のバックパッカーもたくさん行っています。そこにいけば体験できるからです。アムステルダムが大麻を許容するようになったころと、まったく同じ感覚で集まっていました。危険極まりない話です。

大麻を求める観光客がオランダに集まるようになったのは、スイスの麻薬解放区が閉鎖されたことが始まりだといえそうです。そうするとＫＬＭオランダ航空が儲かる。大麻という魔力を巡って、まあいろんな経済的な循環の仕組みが動き出すということです。

運河に浮かぶ日本人女性

オランダで大麻が許容された頃、日本人の女性の死体が運河にいっぱい浮かんだのを知っている日本人は少ないかもしれない。みんな乱暴されてのことです。１９７０年代の終わりぐらいでした。

少なくない人数が、アラブ人の人買いに持っていかれ、最後は運河に放り込まれたようです。

身元不明で処理されてはいません。オランダ当局には身元は分かっている。だけど、処理は事故。墜落事故です。そうしておかないと、国際的に問題になります。

１９８０年代になってから、日本の女性も気をつけるようになって、それで少なくなりました。あの頃の日本人は、うぶで元気で無防備だったと思います。

崩れるスイスのイメージ

日本人の描いているスイスのイメージと、麻薬解放区はおそらくなじまないでしょう。恐ろしい場所でした。

プラッツシュピッツという広い公園に入った瞬間、注射器でヘロインを打つ、大麻を吸う、覚醒剤をあぶる、全部オーケーだったのです。それが、スイス当局によって閉鎖になり、もうだいぶたちます。

スイスは、昔のお堅いイメージはいまはありません。スイス銀行は、お金を預かったら絶対に情報をもらさない。そう信じられてきたけれど、うそです。捜査当局から「誰々のデータ出せよ」といわれたら、すぐ出てくる。アメリカからでもそうだし、日本からでもそうです。当局が連絡すると、全部出してくる。

スイス銀行は、そのことを否定するけれど、もうしょうがない。みんなに知られてしまった。日本のお金持ち、とりわけ裏社会の、麻薬取引で肥え太った人間だとかのすごいやつらは、もはやスイスにお金を積んではおけないなと思っています。

ロンドンでは移民が密売する

ヨーロッパ中から、いや世界中から人が集まってくるロンドンのような都会では、麻薬はどうなっているのか。物語の中で、シャーロック・ホームズはコカイン中毒でしたが、イギリスは今、麻薬は非合法です。ではどうしているか。

簡単な話です。ロンドンには移民がいっぱいいる。中国人もいるし、アラブ人もいるし、黒人もいる。彼らが売るのです。「いくらで売ってんねん」という感じで、密売されている。なぜか、インド人はあんまり売らない。

スコットランドヤード外事課、つまりロンドン警視庁外事課は、密売のことは全部わかっているのです。テロリストを８５０万台の監視カメラでずっと追っているので、こいつは密売して儲けてるな、テロの資金源にしてるな、とわかっている。

密売がまかり通っているけれども、ロンドン、イギリスは基本的には全然オーケーじゃない。うるさいです。それは取り締まりのために残してある法律があるからです。

違法は違法なのですが、私が留学した当時から、学校に売人が入り込んでいました。覚醒剤をやっているのがバレたら、どうなるのかといえば、場所によります。移民地区に入ると事実上オーケー。フリーです。アラブとかアフリカとかの移民地区に入ったら、もう全然オーケー。ロンドンだけではなく、リバプールもオーケーです。

北朝鮮は覚醒剤をつくって海で渡す

北朝鮮は、２カ所で覚醒剤をつくっています。ヨンビョンとセイスイ。これは日本軍の化学研究所があったところです。そこで大量につくった覚醒剤を、日本に売っています。

公海まで船で持ってきて、防水加工したのをどんどん投げる。それは海流に乗って流れていきますが、下流で手漕ぎで揚げているのが、ヤクザです。それを、上から衛星写真でアメリカが全部把握している。

船から船に積む、いわゆる「瀬取り」だと言いわけがききません。船から海流に乗せて流し、下流で手漕ぎでたぐりよせると、漂流物を取ったということで言いわけができる。日本の暴力団も、アメリカからそのネタが当局に来ているのにもかかわらず、否定できるのです。

「瀬取り」だと、北朝鮮は責められる。衛星写真で、北朝鮮の港から制服を着た軍人が覚醒剤を積んでいるのが見えているからです。何号に乗ったとか、何隻で来たとかがみんなわかっている。アメリカは全部知っています。知っていてその情報を蓄積しているだけで、今のところ使わないのです。

トランプと金正恩《キムジョンウン》の会談のときも、核のことで責めたりはしますが、そんな些末なことは持ち出さないわけです。

自衛隊は北朝鮮ネタをアメリカからもらっている

自衛隊は、アメリカから直接情報をもらうので、正確に事態をつかんでいます。海上保安庁とか警察は、実働の範囲で、自分で見たことで取り締まりしようとする。どうしても活動には限界があります。キャリアと呼称されるエリート警察官にしてもアメリカさんが何でも気前よく教えてくれるわけではありません。

正確なネタだけでいえば、自衛隊が一番すごいのです。北朝鮮は、あれだけいろんな貿易制限されても、ちゃんと石油も手に入れている。制裁なんて全然平気です。そこには中国の影があります。

北朝鮮の実権者をめぐっても、いろいろな情報が入ってきています。金与正《キムヨジョン》には、覚醒剤中毒だという疑惑がある。金正恩には、心臓の具合の悪さがある。カテーテルを入れた跡がずっと消えない。

それで、影武者だといううわさが一時生じました。耳の形が違うというのはうそで、テレビに映って、しゃべっているのは本物です。医療特区みたいなものをつくって病院を建てたときも、来ているのは本物です。

こういう情報がアメリカから自衛隊に入っています。覚醒剤をめぐる情報もそのひとつなのです。

ロシアは事実上解禁

ロシアは、取り締まりはあるのですが、事実上、解禁です。ただ、見つかったらダメなんですが、賄賂がきくともいわれています。

ロシアは、オリンピックでドーピングをあんなに一生懸命やって、国際的にインチキをやっている国ですから、捜査的にも、いろんなところでインチキがまかり通っています。

ただひとつ、元首に対して弓を引かなきゃいい。言論でもそうだけれど、敵対勢力にならなければいい。独特のクスリをもち、野党党首でさえ毒殺しようとする国柄です。スラヴロシアには大黒屋光太夫の頃からナスティなところがあるのです。

世界で一番自由なのはカナダ

先進国で、最初に娯楽用大麻を解禁したのはカナダです。外国人でも買える。カナダは2018年に医薬用のみならず、すべてがオーケーになりました。どこで買えるのかというと、指定の販売所です。そういうところに行くと、誰でも買える。

医療用大麻を解禁している国は、たくさんありますが、最初に娯楽用大麻を解禁したのは、カナダの解禁より5年前の南米ウルグアイです。

「娯楽用大麻解禁」というのは、量に規制はあるにしても、誰でも自分の楽しみのために自由に買って吸えるということです。アメとかグミに入れた食べる大麻もあります。

21年3月には、メキシコが合法化するための審議を議会で始めています。合法化が決まれば、米大陸で3番目の娯楽用大麻の使用を認める国になります。

同じく21年3月、アメリカ。ニューヨーク州のクオモ知事と議会の議員が、娯楽用大麻解禁に合意しています。法案が可決されれば、オレゴン、コロラド、カリフォルニアなどのアメリカの14州とコロンビア特区（首都ワシントン）につぐ16番目の解禁州となります。

医療用大麻を認めているアメリカのほかの州では、ワンクッションが必要です。つまり、うつ病のカルテをつくって大麻を買いに行く。

空港からホテルにチェックインしたら、すぐ近くのクリニックに行きます。そこで、「私、うつ病です」と言わなければならない。日本から持参した、英語で書いたうつ病の処方箋があると話は簡単ですが、なければ、医師の質問に答えてカルテを作ってもらいます。

そのカルテが、うつ病であると証明するものだったら、指定された販売所に行きます。そうすると大麻が買えます。その部分だけにスポットを当てると、「カルテ」はまた違った役割のペーパーになるわけです。

政府の思惑と利用者の思惑

大麻利用者は、リラックスのためという理由がありますが、法制度を変更する政府の思惑は違います。ウルグアイやメキシコは、麻薬ギャングや麻薬カルテルとの戦いを長いこと続けていて、その戦争を終結させ、秩序を回復することを目的としています。

もちろん税収が大きい。犯罪組織の資金源を絶ち、それを国家にまわすのです。ニューヨーク州が娯楽大麻を解禁するのは、コロナ禍によって観光客からの収入が激減したことをカバーするためだと公言しています。

もうひとつの要素として、流通の秩序を回復させて未成年者を守り、健康被害をなくすことがあります。劣悪な大麻や、危険な混ざりものの入ったものが流通することで、心身を傷めることがないように、国家が全過程を管理する。いい大麻かどうかは、とても重要なのです。

どこ産の大麻が質がいいか

大麻所持で逮捕された俳優、伊勢谷友介のもっていた大麻は、国産だといわれています。国産大麻の品質はすごくよくて、栃木・長野・福島・北海道と、乾燥していて寒いところでは、質のいいものが採れるのです。

今の大麻は、ノーザンライトという品種から発祥した、幾多の掛け合わせのものです。業者がいます。それが、いろんなルートから芸能人に流れていっています。

日本の大麻がいいのは、土壌がいいためで、効きがいい。そういうものは、外国産ほど体に悪くない。ゲロを吐かないのです。中毒性はありますが、効きが早い。いい酒と同じです。

ウィスキーもそうです。白いウィスキーをつくって飲んでいたスコットランドが、イングランドと戦争して、イングランドが勝った。さて、戦勝の特典として酒の税金を取ろうとしたところ、ウィスキーをつくっている業者から金がとれない。

その動きを知った者が、みんなに教えたのです。山の中でお酒をつくっている業者たちは、樽に入れたまま地中に埋め込んで知らん振りしている。

草かなんかを上にかぶせて、3年間寝かせたままにした。ほとぼりが冷めて、掘り起こしてみると、芳醇なあめ色のいい感じのウィスキーになっている。スコティッシュはそれでできたという話です。

取り締まりがうるさければうるさいほど、いいものができてしまう。麻薬もそうなのです。遠くから買って来て自宅で栽培するときに、掛け合わせを工夫していいものをつくってしまう。

日本産の大麻は高いけれども、タイ産の大麻も同じぐらい高い。効き方が違います。早く酔ったほうがいいか、じんわりずっと効いているのがいいか、そういう使用者の好みがある。

日本産の大麻が、海外に出て行くことはあります。日本産の大麻はものすごく評判がいい。だから、アメリカの連中から、日本の生産者に「送ってくれ」といってくるし、買い付けにくるやつもいる。日本の大麻は、カナダまでいっています。

日本を出てカナダに入って、バンクーバーで荷を解かれたときから、違法じゃなくなる。それまではうるさい。即、没収。大麻が違法である地域を通過するからです。

イスラム教徒と大麻

世界的に、イスラム教徒がすごく多くなってきています。彼らは、戒律で酒がダメです。結局、ドラッグにいってしまう。酩酊状態がほしいのと、セックスのときにみんな使いたがる。サウジアラビアなんかもそうですが、大麻の流通がすごい。大麻を通してもサウジとアメリカはつながっています。

アラブの大富豪がセックスのときに使うもの

アラブの王族などに代表される上級国民は、やはりクスリが好き。自由に手に入っていた薬物が手に入らなくなった一方で、すぐ手に入るのは女性です。売春をキメたい女性たち、ミスコンで上位にいきたいような女性たち。金にあかせて、そういう19ぐらいの女性を買ってくるのです。

何カ月かで飽きちゃったらポイする。昔、自分でそういうことをやっていた女性たちが、女衒《ぜげん》の役割をしています。王族などは、セックスのときにやっぱりクスリが欲しい。

アラブはとにかく広いから、そういう大富豪がいっぱいいるわけです。王族となると、おおっぴらに大麻はダメだし、酒もダメ。では、くつろいでセックスするのにどうするか。

ヨーロッパのある秘密警察の組織が、工場を持っていて、精神が一発でぶっ飛ぶという覚醒剤みたいなものを作って、それを密売しているのです。アラブの金持ちは、それを買う。舌の上にポンとのせて、水をごっくんと飲んで、セックスする。

彼らは、火を使って炙《あぶ》るだとか、人にみられるところで酒を飲むだとかはできない。そんなことをしたら、評判が悪くなってしまうからです。知らん顔して舌の上にポンとのせて、ごっくんなら都合がいいのです。これが、今どきのアラブ大金持ち世界の傾向です。

情報機関の殺し屋は麻薬を使い分ける

イスラエルには、モサド（諜報特務庁）がある。世界に開かれた窓みたいなものとして、２つのでかい情報機関があって、モサドとシャバック。シャバックというのは、５０００人ぐらいの軍情報機関です。モサドは、プロジェクトができたら1万人ぐらい動員します。それがすぐに、みんな殺し屋になれるのです。

数年前、ドバイで、モサドの集団がイスラエルに対抗するイスラム原理主義組織ハマスでテロリスト養成をやっていた一人の人物を殺害しました。そんな荒っぽさですが、襲撃に臨むとき、彼らは、薬物を自由に使い分けるのです。世界の薬物事情は、裏ではつながっていることの証左です。

ふつうの意識では不可能な、非情な行為をためらわずにする。モサド、ＣＩＡ、ＭＩ６のようなトップ情報機関は、どこも薬物を使っているといわれています。

日本？　日本は全然使っていない。

金をつくるなら武器か麻薬

今は、諜報と事件捜査が一体化しています。金を作ろうとしたら、武器か麻薬です。テロリストというテロリストがみんな、それを資金源にしていた時期が長く続いていました。今でもそうですから、この傾向はしょうがないことです。

サウジアラビアの世界的武器商人アドナン・カショギの甥にあたる、反政府サウジ人のジャマル・カショギというジャーナリストが、２０１８年にイスタンブールのサウジアラビア総領事館で殺されたけれども、あの一族は死の商人です。

一族全部が、それで繁栄した。ハリウッド女優なんかを愛人にしていたといううわさもあり、すごいやつらです。

ゴールデントライアングルの没落

麻薬ゲシの生産地で、生産に従事するのは農民です。彼ら自身は麻薬はやりません。作ってはいるけど、やってない。ミャンマーとかタイの国境のゴールデントライアングルは、今では下火になっている。かつては世界のヘロインの85％を産出して、アメリカとか日本まで来ていたのが、別のところに取って代わられました。

今は、アフガンです。そこで農民がタリバンに作らされているのが、世界の産出量の85％になった。ケシは荒涼とした山間の高地でも生育します。ケシの生産農家は全然米なんか食っていない。貧しい貧しい地域です。

　タリバンは、ヘロインの金で何を買うかというと、飯を買ったり、住居を買ったり、衣服とかを買うのだけれど、最大の目的は別のところにあります。武器商人から最新兵器を輸入するのです。

　テロが強いところは、麻薬にも強くなっています。タリバン製のアヘンからヘロインになった白い粉が、北ヨーロッパから西ヨーロッパ、南ヨーロッパと軒並み汚染しています。

　黄金の三日月地帯と呼ばれる、タリバンのアフガンが85％ですから、ミャンマー、タイの国境沿いのゴールデントライアングルは、15％まで落ちてしまった。麻薬王クン・サが引退して、ウェイ・シューカンになってから生産が落ちました。

　その頃に日本で何があったかというと、オウム事件です。少数のオウムの連中が逃げ込んだのが、ミャンマーでした。クン・サの後釜に庇護されて、一軒家まで与えられていたのです。爆弾娘の菊地直子が、寝泊まりしたベッドの生写真まで見たことがあります。

　ミャンマーの麻薬組織といっても、日本のテロ組織とか違法組織とつながりがある。

オウムとも関係があった。菊地の場合は、タイの空港長が兄貴の、彼女にシンパシーを持った公務員女性が面倒見ヘルパーでした。日本にいる彼女が、支援組織からお金をもらって、東南アジアに飛ぶ。タイに密入国したら、ミャンマーの国境をそのまま歩いて渡れます。男2人と合流して、そこで住んでいたのです。

こういったことが可能になるのは、すべてお金です。上九一色村で覚醒剤を作って、売った金だといわれています。

ゴールデントライアングルのケシがなくなったのは、アメリカの連邦取締局がタイのバンコクに支店と称して、取り締まりの本部を置いたときからです。ゴールデントライアングルから来たヘロインを全部焼いてしまった。それ以来、下火になったのです。

こういうことをいっくらやっても絶滅できないのは、その後の「黄金の三日月地帯」の隆盛を見ればあきらかです。何をどうやっても、もぐら叩きにすぎません。

タリバンの絨毯作戦と麻薬の行方

アフガン戦争のときでした。タリバンが農民を使って、何を作らせているか、どの部族がどんな麻薬を作っているか、そのデータが全部出ていました。あるところでそれを見た。メモは取れません。密かに見ると、さっと帰ってくるわけです。

タリバンは、農民に麻薬を作らせている。大麻も作らせているし、ケシ畑でアヘンを作らせています。ケシからとったアヘンをヘロインにして、ペルシャ絨毯の子分みたいなアフガン絨毯の中に染み込ませます。

ペルシャ絨毯だと称したその絨毯が、税関を通過して、ヨーロッパに行く。まず東ヨーロッパへ行く。ブルガリアでチェックを受けて通過するときに、麻薬業者が諜報機関にお金を払うのです。それからノルウェーとかスウェーデンに行く。

そこで煮出されると、絨毯とヘロインがちゃんと分離します。それが北欧の若者を蝕んでいて、兵役にもつけないのです。ヘロインは絨毯に入っているのが一番いい。タリバンが作っているヘロインが一番いいのです。

スウェーデン、ノルウェーの仮想敵国はロシアです。あの辺のＮＡＴＯの仮想敵国はロシアです。ところがロシアは、そのヘロイン情報を全部知っています。ロシアは、アフガンの情報はいくらでも取れますから。

この世界は、抜け目のない者たちが「いたちごっこ」をしている世界です。出し抜くか、出し抜かれるか。本当に面白い。ところが、日本は何もしないで、アメリカから情報をもらって、「へえ！　へえ！」なんていって、終わりです。アフガンにもロシアにも居たことのある私も「へえ〜」なんて言っています。

コカインはコロンビア産が最高

コカインは、南米のコロンビア産のものが最高です。品質を別にして、流通量が多いのはメキシコ産だといわれています。

南米はいまだ混沌としています。ボリビアの大統領が捕まったことがありましたが、コカインマフィアのボスだった。お金で議席が買えるのです。だから、大統領職だって、相当な金を積めば買えます。参っちゃいますが、それが「国際社会」というものです。

ブラジルの大統領を買おうとしていたのがゴーンでしょう。ゴーンは、あそこで蹴つまずかなかったら、ブラジルの大統領になれたのです。金で大統領を買う。ボルソナロなんていうポルトガル系じゃなくて、ゴーンがなれたかもしれないのです。

シャブは台所で作れる

覚醒剤、いわゆるシャブは、アメリカでは学生が台所で作っています。ハーバードとか、イエールとか、あの辺の6大学みたいな名門大学に入ってお金持ちになる。それがアメリカンドリームです。将来を約束される大学は、アイビーリーグだけじゃありません。

ペンシルベニア大なんて、いますごい人気です。トランプがペンシルベニア大卒なんで、彼が大統領になってから人気が出ました。よく調べたら、娘のイヴァンカもペンシルベニア大に行っていた。それで急に人気が上がっているのですが、そういった大学に入るために「あること」をしている人たちもいます。

あることとは？

台所でクリスタルメスという覚醒剤を作ります。メスというのはメタンフェタミン。それをやって暗記するとスラスラ覚えられる。試験場に行って、夕べ覚えたものを書けば、通っちゃうという話です。

超大金持ちであれば、何百万ドルと積む。それもアメリカでは立派な力なのです。イヴァンカの旦那のジャレッド・クシュナーというのが、親父が不動産屋で、ユダヤ人です。金を積んでハーバードに入ってしまった。それも力だからオーケー。

私立のハーバードは、いま、偏差値35ぐらいだった成績でも入る人がいます。入れるか、入れないかは、成績だけで決まるのではないのです。貧民窟や障害者施設とか、いろんなところで労働を何十時間やったというのも、それも点数になる。お勉強だけじゃ入れない。東大はペーパーテストだけだけど、アメリカは全然違うのです。社会活動が重要視されます。

学力テストはたいしたことなくても、人格の陶冶《とうや》が2年ぐらい行われると、入れてしまったりする。それでついには上院議員になれたりする。出世のアメリカンドリームも、シャブ絡みで変わってきました。

大麻解禁の見通し

大麻は、そのうちオーケーになるでしょう。アメリカがオーケーになれば、どこもがオーケーになるんだと思います。いまは、カナダですから、ちょっとまだ弱い。解禁するといっても、やっぱり車の運転はさせないと思います。カナダも、運転したらバツです。

アジアは厳しく取り締まっている

中国は、麻薬の取り締まりがきつい。あそこは死刑ですからすごい。日本のヤクザが覚醒剤を持って行っただけで、この間処刑されてしまった。

シンガポールもそうです。シンガポールはもともと客家《ハッカ》のリー・クアンユーが作ったチャイナの人工国ですから厳しいです。

中国、シンガポール、韓国。アジアはみんな厳しい。マレーシアもダメです。マハティールが復帰してからまた厳しくなりました。

フィリピン・中国・シンガポールでは、使った段階で死刑になってしまうのに、日本の場合は執行猶予がついて、しばらくおとなしくしていればいい。アメリカの場合は罰金を払えばいい。文化が異なれば、さまざまな評価も変わります。

人口の少ない北欧の事情

北欧は、死刑はありません。

ヘロインで、若者が働かなくなったのはノルウェーですが、政府が麻薬を支給しています。飯も支給しているし、遊んでいても生活費を支給してくれるという国です。悪弊だとみんないうのだけども、支給がある。

女の子と同棲していたら、その女の子の生活費まで出るように計らってくれる。日本人から見ると、信じられない。それが本当の福祉社会なのでしょうか。

ただ、ノルウェーは、麻薬を支給していますが、その対象は重度の薬物依存症患者で生活改善策としてです。いきなり切っちゃうと大変なことになるから。

ただでさえ北欧は人口が少ないのに、頼りになる国民がいなくなってしまいます。軍の後継者がいないのです。

でも、若者は働かないで、クスリをやっている。すごい国です。

アメリカは罰金を払って終わり

アメリカは、その日に罰金を払って終わりです。テキサスは、長い間、反政府的な州なのですが、それでも麻薬の違反は200ドルぐらいの罰金で終わりでした。私ではありませんが、交通違反のチケットといっしょ。「これだけの額を振り込んでおいてくれ」で終わりですから、駐車違反と同じです。もう刑罰でもなんでもない。

アメリカで、軍人の一家と車に乗っていて、そういうことを知る場面に遭遇したのです。お兄ちゃんのドワイトというのが麻薬をやったことがあるのですが、それが記録に残っていた。

警察がウ〜っと来て、停められて、チャカチャカチャカチャカっと車載のコンピュータをやると、その記録が出てきた。ドワイトは「あんた、捕まったことあるな」といわれた。「200ドル、罰金払ってるんでしょ」「はい」それで終わりなんです。検査も何もなし。

昔からそうなのです。ニューヨークでもそうです。検査なんかしたら、町がつぶれてしまうのです。全員を検挙したら、町に誰もいなくなるでしょう。調べれば、みんな持っているのですから。

執行猶予は経歴に傷をつけるため

日本だと、初犯だと執行猶予がついたりします。アジア諸国に比べれば軽いけれど、アメリカに比べれば重い。

日本の執行猶予は、判事に何やら訓示めいたことをいわれて終わりですが、ただ経歴に傷がつくのです。日本の場合は、傷をつけるのが目的なんです。

更生の希望を託してとよくいうんですが、日本の場合は、大体1回目は何もおとがめなしで、執行猶予期間5年ぐらいうたれる。弁護士が強いので、釈放も早いんです。お金を払うとすぐ保釈になる。

刑務所としても、あまり放り込まれたくない。民間委託が今は増えています。山口県の美祢市にPFI方式という「民間刑務所」が初めてできたのですが、ほどなくして島根県にもできた。島根県の浜田市というところなんですが、見学に来てくれといわれて、行きました。

民間委託といったって、職員は多くが法務省職員だし、同じじゃないかと思うんだけど、建物がよくて、緩い。鉄道と一緒です。第三セクターみたいな形です。買ったほうは執行猶予ですが、麻薬を売ったほうの罪はきつい。執行猶予とはいかないけれど、大体日本じゃ、売ったほうが捕まらないです。入手ルートをいえといっても本当のことはいわない。拳銃の出どころ調査と同じで、死んじゃった、あるいは不明のような形の人間を出します。

麻薬の違反は、罪を重くしようという動きは全然ありません。警察としても、「検挙しただけで勝ち」と考える風潮があります。これとよく似ているのが、スパイの取り締まり。現行法では、スパイ取締法はありません。ないけれども、「ロシア大使館のだれだれがスパイだ」というのがわかると、マスコミに出ます。もうそのときには、高飛びしていないけれども、それで「勝った」「追い出した」と考える。それと同じで、執行猶予がついても、「勝った」ということなんです。「取った」ということで勝ちなんです。

フィリピンの場合

フィリピンは死刑です。でも撲滅できない。ドゥテルテ大統領が強引なことをやって、麻薬を撲滅しようとしても、どうしても撲滅できない。できないどころか、戦争に発展してしまった。内戦です。戦場はミンダナオ島。対戦構図は、フィリピン&アメリカ軍VS.麻薬マフィアとテロ組織の連合軍。

イスラム国と、マウテ兄弟グループという麻薬マフィアと、アルカイダの子分みたいなアブ・サヤフというのが一方にいて、米軍とフィリピンの国軍が連合してドンパチやっている。

マウテ兄弟グループは、薬物をやっていたのが、アルカイダとつるんで1つのでかい連合軍になった。そこへ、シリアで潰されたイスラム国がいっぱい入ってきて、そいつらも一緒になった。

マフィア・テロ軍は、死体処理ができないので、死んだやつを残して逃げてしまう。顔を見れば、チェチェン人とかアラブ人とかがいっぱいいます。死体を回収して、歯型から指紋から照合したら、イスラム国が入っているのがわかったのです。

合体したマフィア・テロ軍に対して、フィリピンの国軍と、ちょっとだけ残っているアメリカの駐留軍が連合軍になって、ドンパチやって、毎日兵士が死んでいるのです。

優勢なのは、フィリピン国軍とアメリカ軍です。みんな郎党で、ドゥテルテの故郷ですから、それはもうどこに何があるか全部知っています。

二股かけのドゥテルテ

強気で、金を強盗みたいにしてもぎ取るのはドゥテルテの得意なところで、習近平《しゅうきんぺい》が勝てなかった。そういうふうに本人はメディアにいっています。

南沙諸島を認めさせるのに、習近平は金にものをいわせて、ドゥテルテを買収した。ドゥテルテはそれを全部しゃべってしまう。「俺は、習近平を脅かして金を取った」と、メディアにいっている。

アメリカとの関係は大丈夫なんだろうか、そんなことをいっちゃってと思いますが、そういう心配はしないらしい。二股かけるのがうまいのです。習近平からもおいしいものを頂いて、アメリカからの協力も取りつけて、一種天才的なものがある。

ドゥテルテは、服役経験が2回あります。刑務所に入っています。だからかどうか、強いんですね。

麻薬撲滅しながら、自らはおいしくいただいて、と何でもあり。彼は、「気に入った女はみんなやっちゃった」と公言しているし、「俺は強いから殺されない」、ケーシー高峰みたいな顔をして、そんなことをいっています。一種、大したものです。

第2章　麻薬と芸能界とヤクザ

伊勢谷友介のケース

今まで数多くのタレント、有名人が薬物事件を起こしてきました。

一番新しいところで、大麻で捕まった伊勢谷友介。彼は、大麻に何を求めていたのか。

伊勢谷は、周りからの期待値が大き過ぎたのでしょうか。飛び抜けて頭がいいので、そこにみんなの期待が集まった。ある意味、きつい状況でしょう。

派手な世界で生き続けていく宿命もあった。兄貴が山本寛斎でしょう。あのプレッシャーが大きかったらしい。寛斎自身も、自分の血筋というか弟になるのが伊勢谷だというのが、死ぬまで自慢だったらしいです。

それだけではなく、伊勢谷自身に社会活動したいという思いがあって、焦っていたらしいのです。スクールを逆にした「ルークス」をつくって、それまで学校に通っていなかった若者を、高校卒業の資格が取れるようにした。

ルークスは、伊勢谷の社会貢献への思いが、形になって実現したものの1つです。学校の創立は、現実でもあり、ドラマの中のできごとでもあった。

映画「ジョーカー・ゲーム」で、陸軍中野学校をモデルにしたと思われる〝D機関〟の創設者という、まさにそのままの人物の役をやったにもかかわらず、「脇が甘かった」とみんながいっているのです。

真剣に映画を観た自衛隊の連中も、役柄について、「あんなやつ、いるか」「もっと性格がバリバリ陰険なんだ」と、そういっている。「陸軍中野学校を運営するのは並大抵じゃない。２２００人の卒業生が、１人のアーミーみたいな形で外国へ行く。そこで何か日本のための活動をする。そんなことは、超人じゃなきゃできないんだ」と。「伊勢谷は、あの映画でなかなかいいんだけれども、あんな甘いものじゃない」と、自衛隊の人たちは、くちぐちにそういっていました。

伊勢谷がやったいろんな役は、華々しいわりにはちょっと虚しい。悲しいというか、そういう印象があります。それはやっぱり、本人の投影じゃないだろうか。

大麻がもたらした気前のよさ

伊勢谷が、「ルークス」という、スクールを反対にした学校を作ったのは、悲惨な現実を芸能界で見ているからでしょう。

高卒の資格もないやつが、大学を出ないとどうにもならない今の世の中で、生きていく。「何でもいいから、大学に行ける道を作ってやりたかった」と、熱く周りにしゃべっていたといいます。

自分の私財を投じて、高校に行けなかったやつを高校卒業資格が取れるようなスクールを作っちゃったんですから、これはやっぱりすごいことです。東南アジアの人からも「ユウスケ・イセヤはすごい、パッキャオみたいだ」と称賛されています。

6階級制覇王者であるフィリピンのボクサー、マニー・パッキャオは、拳一つで病院とか学校とかを作りましたが、考えてみたら、南米の麻薬王、コカインのパブロ・エスコバルも病院とか学校を作っているのです。最後は、アメリカ政府の意向で殺されちゃいましたけれども。

自分の性格も起因しているんでしょうが、上の学校に進めなかったやつ、教養をつけたくてもつけられなかったやつの道を開いた。それで世界的な評判はすごくいいのです。

こういうことができたのは、大麻がもたらした「ジェナラス」、つまり「気前のよさ」かもしれないとはいわれています。

ケミカルは一切やらない男

伊勢谷がすごいのは、シャブなどのケミカルは一切やらなかったことです。

ケミカルだって、もともとの原料はナチュラルですが、早く酩酊したかったら、ケミカルでいいんだ、そんな思想が世界中に蔓延しています。伊勢谷はそれには与《くみ》しなかった。

大麻を使っていると、大胆になるといわれています。伊勢谷ほど神経を使って生きてきて、たとえばどの女優と関係をもっても、後腐れなく離れる男が、自宅を全部開放して見せています。

YouTubeで伊勢谷の部屋が見られる。やっぱり大麻で大胆になっていったんでしょう。こんなことしたら、どこに隠し戸棚があるか、すぐ分かってしまう。

友だちに売られた

今回、足がついたのは、お友だちに売られたからでした。売られた理由は、モテ過ぎで嫉妬されたから。人柄のいい場合、こういう心理的背景がよくあります。

２番目は、友だちとか側近が別のところで捕まってしまい、そこで形としては司法取引になった。当局に引っ張られて事情聴取された際に、「これこれについて訴追するぞ、逮捕して23日間ぶち込むぞ」と脅かされた。そうすると、自分を守るためにいチクるのです。あるいは、こっちのほうを、第１の理由にあげてもいいかもしれない。世界中で起こっている事象です。

伊勢谷自体の捜査は、うわさが出て、もう10年ぐらいになっていました。けれど、いくら探っても、シャブの線では全然、伊勢谷は出てこない。

警察は、いろんな人を捕まえては、証拠を引っ張り出そうとやってきたのだけれど、伊勢谷は頭がいい。全然尻尾を出さなかった。ところが、積み重ねが頂点に達して、「もう取れる」ということになった。それで踏み込んだのでしょう。

当局が踏み込んだ時に、伊勢谷は家にいた。それは、何カ月もかけた張り込みの結果、今日は仕事もない、家にいる、そういうときを見計らったのです。当局は、スパーっとやっている最中を期待したんですが、やってなかった。家宅捜索ということになる。そこで、ストックしていた大麻が出てきちゃった。

検査した尿からは、大麻の成分が検出されます。薬剤のタイプは違っていますが、そこは覚醒剤とよく似ている。髪の毛にも残ります。「髪の毛くれよ」といわれたら終わりです。丸坊主にしちゃえばわからないが、伊勢谷は、丸坊主じゃない時にやられちゃった。

マトリと5課が争う

伊勢谷は、大麻の入手ルートは口を割らなかった。本人は、本当に知らなかったからしい。複数の親しい友だちが買ってきたのを渡されていたからです。

複数人いた中の１人が、事情聴取でマトリと警察のどっちにも引っ張られた。警察が逮捕したのは、内部の組織犯罪対策第５課（組対５課）のほうの動きが速かったからです。

伊勢谷は同情されている

伊勢谷には、同情が９割です。いろんな人がいっています。「覚醒剤も大麻もやってるタレントがいるのにおかしいだろう」「大麻ごときで」というのです。大物はみんなスキャンダルを持っていて、セックスのためのマンションを借りて、そこでさんざんやっていることが公になっているのに、所属プロダクションの力がでかいからとかで、問題にならない。

それを「おかしいじゃないですか」というのです。大手の事務所の場合、警察はなかなか動かない。だから事務所は知っていても問題にしません。

伊勢谷も、カナダに行けばよかったんです。カナダに別荘を建てるとかして、アーティストのためのハウスみたいなのをやればよかった。わざわざ標的にされる日本で、大麻をやったりして、もったいない話です。

伊勢谷は、これを乗り越えると思います。

沢尻エリカのケース

沢尻エリカは、MDMAの所持で逮捕された。いまは、フランスに行って、アラブ系のフランス人の母親と一緒に暮らしています。500万円の保釈金をどこが払ったかというと、所属事務所が払ったらしい。

沢尻も、やっぱり同情されています。「また復帰してほしい」という声が多い。芸能人アナリストは、「役者としては優秀だ」とみんないっているし、テリー伊藤もそういっていた。映画『パッチギ!』の井筒和幸監督にも、「すごくいい演技をした」と称賛されています。

高城剛との関係

「なんで高城剛と結婚なんてしたんだろう」という話題も、よく語られました。

やっぱり、お母さんも、「彼の力で、国際的にいろんな意味で活躍できる」と思ったんじゃないでしょうか。高城剛は、当時ヨーロッパ圏で活躍していました。白人の社会で高い評価を受けていて、ハイパーメディアクリエーターというだけじゃなくて、外国語ができる頭がいい日本人だという評価があった。

沢尻は、アラブ系のフランス人のお母さんのルートで、ヨーロッパでスターになりたかったようです。高城というお神輿に乗っかれば、それができると思ったらしいのです。

「別居、別居を重ねたのは、沢尻の悪さだ」と、高城のお友だちの映画関係者たちはいっています。

高城は、けっこう真面目な人で、やばいクスリはやらない人です。

沢尻は情報を売られた

沢尻エリカの逮捕は、情報を売られたためです。芸能界の連中がいうには、沢尻がクスリを始めたのはティーンエージャーの頃。だから、ずっと前から疑惑はあったのです。防衛大学校を出て、有名なディスコを作った男がいます。その人物と半同棲していたころから、薬物を使ったといわれています。

なんで売られたのか。脇が甘ければ、みんな売られます。脇を固めているのは、元請け団体です。芸能人に限らず、スポーツ選手もそうですけれど、人気があるときは元請けの経営団体が庇護する。それがよそを向いたら、やられちゃう。

芸能界でいえばプロダクションががっちりと抱え込めば大丈夫。それが仕組みです。

東欧から入ってくるMDMA

逮捕理由となったMDMAは、今はタイからも入ってくるのがありますが、旧ユーゴスラビア、クロアチアとか、あの辺から入っていました。それがチャイナマフィアの手を介して、日本の芸能界に流入してくる。

沢尻が最初に手を染めた頃は、それが最高潮に入ってきていた時期です。六本木に、年間30万錠から50万錠きていたのです。

六本木には、黒人がいますが、あの中にナイジェリアマフィアの売人が、いっぱいいるのです。

東ヨーロッパの連中は、作って、荷出しをするだけなんだけれど、チャイナマフィアが待ち構えていて、アジアに入ったときにそれを彼らが等分する。

じつは、そこに日本の暴力団も絡んでいます。六本木で小分けをしたものは、クラブで遊んでいる連中が売りさばく。そういう連中が、いっぱいいます。そいつらに、ほんとうに小さい量を渡す。

カバンの中に入れる必要もない、身に付けるぐらいの量ですから、ふつうの格好をして、電車を利用して、日本国中に売り歩いていた。そういう時期だったのです。

人民解放軍崩れとチャイナマフィア

沢尻自身は、芸能界のグループでもらったというけれど、もしかしたら、有名ディスコを作った人物のルーツじゃないかという疑惑がありました。

その人物とは、１回会ったことがある。人民解放軍の大物２人が奥さんを連れて、代々木公園の中の国立オリンピック記念青少年総合センターを借り切ってパーティをやったことがある。そのパーティに来ていた。

たまたま、ボディガードをしてくれといわれて、雇われていたので、その時にじっくり話を聞いたんです。沢尻の事件の直前ぐらいです。やっぱり人民解放軍から崩れていった連中が、チャイナマフィアとつるんでいた。ＭＤＭＡも彼らが全部扱っているといっていました。

押尾学のケース

押尾学もＭＤＭＡ。実刑を食らったのは、人が一人亡くなっているからです。このクスリはセックスするときに用いられますが、押尾は、あるホステスさんに２錠飲ませ、その女性が亡くなってしまったのです。じつは、この事件には、元大物政治家の息子が絡んでいるといわれています。

使用された部屋は、女性向け下着通販ブランド、ピーチ・ジョンの野口美佳元社長が持っていた部屋だ、というのは確かなところで、押尾のスポンサーといわれています。芸能界には隠然たる力をもっている。

押尾が捕まるときに撮っていた映画は、お蔵入りになった。その映画を撮っていた監督に会ったら、こんなことをいっていました。

「いや、押尾は昔からやんちゃでね、撮影現場でボクシングのまねごとしてて、ほらやるよといっても、なかなかやめなかったんです」

あれは、薬物をやっていたんじゃないか。映画の現場でも、そう見られていたようです。

事件の当日、押尾も服用して、ホステスさんには通常の倍を飲ませた。1錠で効くところを2錠だから、それで心臓が止まった。保護責任者遺棄致死罪とのダブルだったんで実刑を食らったのです。

クスリの入手ルートは、政治家の秘書だといわれています。芸能界ルートじゃなかった。もちろん芸能界ルートでもいくらでも入るのですが、このときには、政治家の秘書ルートという話が出てきました。

どうもこっちのルートが強そうだといわれた。それをみんなが隠した。真相は、元大物政治家が死ぬまで出てこないでしょう。

ASKAのケース

ＡＳＫＡは覚せい剤とＭＤＭＡの所持。結局は、やっぱり側近のルートでやられた。だけどＡＳＫＡはしたたかです。頭がすごくよく回る。

２回目の手入れで、お茶を入れて、おしっこだといって提出した。それで追及をかわしてしまった。当局はあのときに負けたんです。自分の失態を明かすわけにはいかないからです。

チャゲ＆飛鳥でいくと、チャゲの堅実さに比べ、ＡＳＫＡのほうがやっぱりスター性がありました。天才のようなＡＳＫＡと努力型のチャゲだといわれています。チャゲは、ＡＳＫＡを売ってはいないけれども、ＡＳＫＡに対しての嫉妬心はあっただろうという話です。

ＡＳＫＡは、いい男でモテるから、金にあかせて遊びまくっていた。

そのときに、パソナに勤めるＴさんという女性と組んで、いっしょに薬物をやったのが公になったのです。

公安のOBから、パソナの幹部を紹介してもらって聞いたのですが、パソナには、接待用の女性が社員としてたくさんいた。その女性が誰と遊ぼうが、会社は関知しなかった。Tさんもそのうちの1人だったということです。

彼女がASKAとつき合ってるのは、もう公然の秘密だったらしいのです。ASKA自身の周りといえば、みんなミュージシャンだし、スタッフがいるし、いくらでも薬物が手に入っていたのです。

そういうわけでルートが多すぎて、誰のルートかわからない。当局も複数のルートといいながら、どこと特定できない。Tさんを落とすことによって、ルートを見つけようとしたけれど、彼女は最後まで裏切らなかった。これはこれで、「すごいな」と思ったんですけれども。

規制緩和で波に乗ったパソナ

パソナの迎賓館で、接待をする女性の一番人気が、Tさんでした。青森県出身のふつうの女性だけど、いい女だったらしい。

ASKAが出所するときには、アウディかなんかで迎えにきていました。

パソナの勢いがすごかったのは、ＡＳＫＡの事件のときです。あの頃は規制緩和の波に乗って人材派遣業界はどこもすごかった。女性をあてがってくるし、飯を食うといっても、すごい飯を食うんです。すごいところで食って、それで女性がついていた。どこのパソナだったか、会社に呼ばれて行って、実質1時間ぐらいしゃべったら5万円ぐらいくれたことがありました。「なんで金くれるんだ」と思ったんですが、一緒に行った政治家の秘書が、「もらっておきなよ。少ないほうだよ」なんていってました。

派遣のパソナを、ここまでのものにしたのは、南部靖之もそうだけども、貢献者のトップは、なんといっても規制緩和を主導した竹中平蔵です。菅総理のブレーンです。

のりピーのケース

のりピーの覚醒剤事件は、もう10年以上前になりました。２００９年です。いくつかのことが話題になりました。「どこに逃げていたのか」「なぜ高相と結婚したのか」、そして「なんで覚醒剤に手を染めたのか」。

のりピーが入信していたとうわさされる真如苑は、沢口靖子などのきれいどころが信者であることで知られています。誰がなんの信心をしようと信仰の自由。

立川に真如苑のすごい施設が建っています。あとは半蔵門の英国大使館の裏にも、でかいビルを建てました。元、ダイヤモンドホテルがあったところです。そこの敷地を真如苑に売っちゃったのです。

ホテルにはもうひとつ敷地があって、そこの新館のほうで営業しています。旧のほうのダイヤモンドホテルは、真如苑が土地ごと買いあげたんですから、真如苑はすごい金があります。

もともと修験道から出た伊藤真乗が真如苑をつくり、戸田城聖の創価学会と信者を二分した。新興宗教の世界では、そういう構図が語られています。創価学会はすごい人数だけれど、貧乏人で金も取れない。そっちはあげる。で、真如苑は有名人で金があるやつを全部もらおう。そういって、ああなったのです。

真如苑は、日産の村山工場の半分も買い取った。凄い団体は金はいくらでも出るのです。ニューヨークで、鎌倉時代の国宝級の仏像を入札して競り落とした。14億円ですから屁でもない。

悩みをもつ弱きものを救うのが宗教ですから、切羽詰まって飛び込んできた窮鳥を抱きとったとしても、非難しようのない行為でしょう。

あの事件、路上で高相祐一が職務質問に引っかかったとき、近くにいたのりピーは

愛読者カード

ご購読ありがとうございました。今後の参考とさせていただきますので、ご協力をお願いいたします。また、新刊案内等をお送りさせていただくことがあります。

【1】本のタイトルをお書きください。

【2】この本を何でお知りになりましたか。

1.書店で実物を見て　2.新聞広告(　　　新聞)
3.書評で(　　　)　4.図書館・図書室で　5.人にすすめられて
6.インターネット　7.その他(　　　)

【3】お買い求めになった理由をお聞かせください。

1.タイトルにひかれて　2.テーマやジャンルに興味があるので
3.著者が好きだから　4.カバーデザインがよかったから
5.その他(　　　)

【4】お買い求めの店名を教えてください。

【5】本書についてのご意見、ご感想をお聞かせください。

●ご記入のご感想を、広告等、本のPRに使わせていただいてもよろしいですか。
□に✓をご記入ください。　□ 実名で可　□ 匿名で可　□ 不可

郵 便 は が き

切手をお貼りください。

102-0071

東京都千代田区富士見一―二―十一
KAWADAフラッツ一階

さくら舎 行

住 所	〒 都道府県			
フリガナ			年齢	歳
氏 名				
			性別	男 女
TEL	( )			
E-Mail				

さくら舎ウェブサイト www.sakurasha.com

姿を消し、薬物が体内で消滅するまで逃走した。逮捕状が出て、出頭したのは2週間後でした。

なぜ高相とくっついたか

ときどき、変なくっつき方があるんです。

高相の無防備さというんですか、路上でパクられてるぐらいだから、用心もなにもない。そういう男と、なぜのりピーがくっついたのか。

高相は、自称プロサーファーとして、そこそこ顔もよくて、人気もあり、金も持っていたかもしれない。だからといって、人気女優と結婚するというのは、どうもふに落ちない。高相が裕福だったということがあるんだけれど、シャブも関係しているにちがいない。それが一般的な見方でした。

高相とのりピーは結婚していましたが、のりピーにはじつはスポンサーがいた。あのとき、もみ消そうと動いた変な「実力者」がちらちらしていましたが、不動産会社と建設業をやっている紋々の入った男性です。のりピーと男女の関係はないようですが、旦那の高相の応援もしていた。高相はヤンキーでしたから、容易につながったんでしょう。

渋谷署のマル暴の警部にきいたのですが、路上で高相をパクったときに、あの不動産屋の社長も来ていた。それで、事情聴取したといっていました。彼ら全部をつなぐものはなにかといえば、薬物でしょう。

「薬物が結ぶ縁」もあったんじゃないか。そう考えても不自然ではない。薬物が結ぶ縁というのは、男女関係です。最初はお友だちとして、サーフィン仲間として会っていたが、男女の関係になった。

そういう男女のアクシデントは、よくあることです。けれども、薬が入っちゃったから離れられない。結婚までいってしまう。そういうプロセスがあった場合、変なつながりだな、という印象が生まれる。いくらでもありうることで、外国では珍しくありません。こことここがくっつくかいね、みたいなカップルが多いのです。

槇原敬之のケース

槇原敬之は2020年に覚醒剤で逮捕されましたが、性格のよさが仇になった。槇原みたいな素晴らしい才能のある人でもやられてしまう。アーティストでもやられちゃうのは、やっぱり私生活に甘さがあるのです。

同居というのは、危険なことでもある。一緒に暮らしている人に安心して見せていた顔は、私生活を売られるあぶない顔だからです。

彼は同性の相手に売られた。

彼は、同性愛といわず、同性趣味といっています。その相手は、長い間一緒に暮らしていて、槇原から生活費をもらっていた。マネジメントも引き受けていた。ところが槇原に新しい相手が出きてしまった。それで距離を置かれてしまった。

あの世界って、すごく恐ろしいんだという話を聞きました。「命を取るまで」というのが昔からいわれていた関係だったらしい。それを、歌舞伎町で新宿署の刑事《デカ》から聞いたとき、「いや、そんな世界なの」とびっくりしたことがある。

槇原に別れ話をされて、よく応じたなと思ったけれど、そのときお金が渡されたのでしょう。一定額のお金をあげて、切れたらしい。だけど、相手にまだまだその世界のマインドが残っていて、それだけでは済まなかった。

槇原は、警察に売られてしまった。マネジメントの一端を任せていたということが、仇になってしまったわけです。私生活が丸見えだったのが、売られることにつながってしまった。

ゲイルートから入手

覚醒剤の入手ルートは、ゲイの人からです。新宿2丁目という話になってしまいますが、複数のルートです。どれもゲイルート。反社のルートではない。

ゲイは、じつは反社を見下しています。仲はよくない。反社は嫌なやつ、反社は敵。だけど強いから、敵にならないようにしている。これが、ゲイの反社見下しの構図です。ゲイも反社も嫌っている対象は当然というしかありませんが、警察です。

あんな荒くれ者と一緒にしないでくれ。マイノリティーとはいえ、そういう誇りがある。反社はガサツなのが多いけれど、ゲイのほうは、学者もいっぱいいます。ミュージシャンだって、絵描きだっています。

別件でやられて司法取引

槇原は恐らく、ゲイの世界に精通した人だったのでしょう。そういう人は、何でも手に入るのです。反社とも仲よくなるゲイもいるし、バイのゲイもいるし、あらゆるゲイの窓口があって、そこから来た薬物で浄化された物を、槇原は使っていた。

けれども、売られちゃったらアウトです。別れた相手は、何かで引っ張られ、司法取引みたいな形で応じてしまう。悲しいことに、結局、槇原を売るしかなかったという話です。

もと同棲相手が別件でやられて、恋人を売る。追い詰められた状況ですが、これがなかなか厳しい。過激派が裏切るのも、同じです。

「じゃあ、お前を取るぞ」といわれたときの、委員長を売る過激派の連中とよく似ている。売れれば、当面自分は手つかずだけれど、組織からは永遠に追われる。

警察官時代の話。接触していた過激派のやつが、池袋に行く明治通りのところの安アパートに、女と一緒に住んでいたことがある。それが妊娠しちゃった。「なんでコンドームを使わないのか」ときけば、「コンドームを買う金がなかった」と情けないことをいう。「俺にいえよ」っていったりして、結局は、出産費用を警察側が出すことにした。そのときに、「もう委員長を売る」といった。

「そうなると、俺はいられない。殺されちゃう。女と一緒に逃してくれ」といってきた。ところが、私らの部署には、金がない。そのころの公安の刑事は、自腹を切ることが多かった。このときもご多分に漏れず、自腹でアメリカまで逃しました。女は実家に帰ったけれど、まあ大変でした。

公安のときに、そんなことをやっているので、「芸能人も似たようなことがあるんだな」と思いました。いってみれば、槇原は委員長だから、下のものに売られたんです。

マトリもいっていました。情報は、だいたい側近が持ってくる。親しいお友だちがもってくる。槇原の場合は、それが同性愛の相手だった。

別れる別れないのとき、槇原のほうの意思が通って同棲を解消したので、恨まれたのでしょう。それがあるから、司法取引みたいな形で当局にひっかけられたとき、彼を売ってしまったのでしょう。

ピエール瀧のケース

ピエール瀧は、コカインです。この人は10年間、疑惑が出ていたのに手付かずでした。それでも、マトリ、5課という2頭のハウンドドッグに追い回されると、ボロが出てきてしまう。

コカインをやる人は、アーティスティックな人です。この人は、根っからの映画俳優でもあり、アーティストでもありという人なんだけれど、性格が悪くない。芸能界の評判がとてもいいんです。

ただ、捜査をやっていた人間としては、それだけ性格がいいと「やられるだろう」とは思います。性格の悪い人は、自分の周りの情報を出さない。誰も信用しないからです。この人は信用し過ぎです。

ピエール瀧は、コカインをやりながら、いつかはやられると思っていたんじゃないか。売られたわけではないけれど、当局が細かくつぶしていくと、ピエール瀧にたどり着くという捜査状況だったらしいです。

「彼は、いつだろう」といううわさはありました。大きな主演作とかやって、有名になったころにやられるのです。無名のやつなんか、やってもしょうがない。落ち目でもダメ。あの人は今、になってしまう。

田代まさしが捕まったのは、そういう意味では例外でしょう。大量だったからやられたんじゃないか。もう何カ月分という量のシャブをためていたんです。女の分もあって、それでやられちゃった。

ピエール瀧クラスになると、警察のほうも、いちおうビジネスのことも考えます。公開初日はやめておこうとか、そういう配慮はあります。あのドラマが終わってからにしようとか、そういうことは考えますが、「名前があるうちに取る」のが、目指しているところです。

大物の逮捕は、芸能界や放送界に大きな被害を与えるでしょう。しかしそれは実績でもある。東京地検特捜部も同じだといわれています。ビジネス界でもどこでも、自分のお手柄と呼べる実績がない限り次がないから、必死で仕事をやるわけです。

ディレクターから入手か

ピエール滝のような音楽家の場合は、入手先は音楽関係のディレクターたちではないかといわれています。

ピエール滝は、よく海外に行っていました。ヨーロッパにもライブで行っていたので、「向こうで使ってたんじゃないの」といわれていましたが、当然、向こうで使っていたでしょう。だけど、本人は持ち帰っていない。

側近がうまくやれば持ち帰れます。人気バンドだから、楽器に隠せる。楽器も麻薬犬を使わない限りはわからないので、税関を通っていたかもしれない。

相方の石野卓球は、ヤクはやっていない。石野卓球自身は堅いといわれていましたが、知っていたと思います。芸能界では、みんなよく知っていて、許容していたということです。

ピエール瀧の復帰は早いと思います。「たぶんVシネかなんかで復帰するよ」といううわさを聞いています。

この人は、性格は悪くない。うまいし。で、顔が立派です。何にでも使えるじゃないですか。いかつい顔が、善、ヒールでもどっちでもできる。

清原和博のケース

清原和博の覚醒剤疑惑は、やっぱり10年疑惑なんです。ずっと、住居も張られていた。かわいそうなのは、後ろ盾があるようでなかったことです。読売はものすごく強力なところで、政府にすぐものが頼めたり、ものがいえるようなバックです。ところが、清原に関して読売は知らん顔した。

一方で桑田真澄はがっちり守られた。ものすごい借金も読売が肩代わりして守った。そういう保護が、清原にはなかったんです。

結局は、ナベツネが嫌ったら終わりなんです。三顧の礼を尽くされて西武から巨人にＦＡ移籍したのに、冷遇されたのです。じつは清原のジャイアンツ入りを熱望したのは長嶋茂雄であって、ナベツネじゃなかったということです。ナベツネは、「しょうがない、愛する長嶋がどうしても欲しいというならいいぞ」と同意したけれども、「俺は、直接は清原は庇護しない」ということだったのです。

それで、読売にあれだけの力がありながら、清原は守られなかった。せいぜい、ジャイアンツにいるときにパクられなかったというぐらいの意味はあったでしょう。それに清原自身、やっぱりいい子じゃなかったらしい。練習のときもボヤいたり、大声で文句をいったりしていたらしい。

そういうことは、オーナーに筒抜けです。練習の現場の様子は、集約されてオーナーの耳に届きますから。金を出してるほうに文句をいうやつがいるとなったら、それはやられてしまいます。

長嶋が監督でいるときはよかったけれど、堀内恒夫に変わったタイミングでなんかおかしなことになりました。堀内は清原のことが好きじゃないんです。わかりやすいなっていう感じだけど、とうとうあそこまでやられちゃった。

ヤクザから覚醒剤

清原は、パクられるといわれてから、ずっとパクられなかった。それが長かったのは、気をつけていたんだろうと思います。

清原が覚醒剤を入手したのは、関東の有力暴力団組織からのようです。彼はいわなかったですけれども。ヤクザというのは、野球選手と個室でお食事するんです。ヤバいことは、人に知られずそこで起こる。

日本のプロ野球界では、最初は、助っ人で来た外国人あたりがクスリをやっていて、そういうところから広まっていった。そういう話もあります。それもあったかもしれないが、メインではない。やっぱりどこかでヤクザとつながりを持っちゃったのです。清原は、反社とのつながりが大きい。いろんなところとつながっています。アイドルですから、みんな求めてくる。日本の３大暴力団組織、全部と。清原は、いろんなところと仲よくしていた。彼自身、やっぱり寂しかったんじゃないですか。

清原には、その場限りの女性だけだったという話もあって、そこがちょっと他の人と違う。

同じく覚醒剤で捕まった江夏豊は売られましたけれども、一緒に暮らしたりする女性が多かった。あれだけ恐ろしいルックスの男だけれども、なんかモテるタイプだった。

清原はそうでもなかった。意外とモテなかった。そういう意味では誰も助けてくれなかった。ＰＬ学園高校の時からそうだったという話があります。性格なんじゃないでしょうか。本当は優しい。本当は気弱なのに、表向きには暴れん坊として、ツッパっちゃう。そういう男なのかもしれないと思います。警察にもいますからね。

巨人のときに、練習が嫌だからボヤいたり、大声で文句をいったりするのも、そういう性格が、裏目に出たんじゃないかっていう話はありました。

几帳面な清原の意外な面

清原のように、ここまでうわさが大きくなって、庇護する者がいなかったら、やられます。そうなるだろうとは思っていたけれど、やっぱりやられた。「最初に誰が密告したのか」なんて、いうのもばからしいぐらい各方面に漏れていたのです。

清原の家に行ったことのある人にも、ずいぶん会ったけれども、「きちっとしてた」というのです。「部屋が、乱雑で、足の踏み場もないようなときはなかった。あ、なんだ、じつはちゃんとしてたやつなんだ」っていっていました。

清原には、いろんな面があって困っちゃいます。几帳面で気弱な面もありつつも、表に見せる顔は暴君。暴君になっているときは、やっぱり覚醒剤をやっていたときかもしれない。薬物で性格が変わるといいますが、打った瞬間に変わるんです。

ゼニを要求するだけで報復はしない

ASKAは、ヤクを入手した新宿のヤクザの名前をバラしちゃって、えらいことになりました。修復には、すごい金がいるんです。最近のヤクザは、暴力による報復はほぼしない。ゼニを要求するだけです。力ごとをやると、警察に組をつぶされてしまいます。

おわびの金として、おそらくプロダクションから出たのでしょう。ＡＳＫＡの音楽の関係の連中で、しこたま金をため込んでるのが幾らか払っています。

３大暴力団のどれもが、みんな供給源ですが、新宿の捕まったヤクザは、関東系だと思います。ただ、新宿の歌舞伎町一帯は、もう関西系に取られてしまった。

ひばりの神戸芸能社は山口組

田岡三代目のときの、神戸芸能社は、山口組そのものです。山口組は、もうその時に全国制覇を遂げてしまったので、日本で山口組にかなう反社はありませんでした。神戸芸能社の大看板は美空ひばり。有名な写真があります。山口組の田岡一雄三代目組長が、美空ひばりのちっちゃいころ、肩車をしている写真です。みんなその写真を見ている。あれだけでも、「山口組が後ろについてるぞ」というので、お嬢は怖かったらしい。

あっという間に多摩川を越えてきた

山口組は関東の暴力団と、多摩川を越えて事務所をつくらないという約束をしていた。それは口先だけのこと。やがて山口組が、「これから渋谷を取る」と裏社会で宣言しますが、渋谷は、もともと安藤組の地盤でした。

俳優になった組長の安藤昇が、組を解散したらみんなどこに行ったか。なんと9割が住吉会に入っちゃった。9割が住吉会なのに、関西が入れるわけがない。たかをくくっていたら、横浜に美空ひばりの弟が入っている組ができて、あれよあれよという間に多摩川を越えて、秘密事務所ができてしまった。

水産会社を装う裏事務所

横浜に入り、今度は多摩川を越えて、もうバンバン裏事務所ができました。その事務所の名前は、みんな「なんとか水産」となっていました。「カタギの水産会社かな」と思って、しばらく見逃されていたんですが、「なんだかおかしいぞ」となった。

私は、秘密事務所を発見するチームにいたのですが、その頃から動画で撮るようになったのです。それを見ているとわかってくる。「おかしいぞ。カタギじゃねえだろう」「水産会社の荒くれ者でも、ヤクザの格好して似合うやつもいるけれども、こいつらはそうじゃない、みんなヤクザだ」「労働者じゃやないね、こいつら」という感じになってきて、内偵をするようになった。

山口組系組織の進出

自動車のセールスマンになりすまして、住居に探りを入れる。パンフレットを作って、「車を買ってくれませんか」とやるんです。旦那が組の事務所に行っちゃったころを見計らって、売り込みに行く。午後の昼間の時間帯には、一緒に住んでる女性が出てきます。部屋の中を一瞥《いちべつ》すれば、「これはヤクザのものだな」とピンとくるものがある。「全然水産会社と関係ないな」というのがわかってきます。

山口組がどのぐらい多摩川を越えて来ているかという、捜査の段階に入ります。その段階で、もう覚醒剤をバンバン売っていた。山口組系のＡ組です。

新宿駅前のヤミ金ビル

Ａ組は、山口組の直参です。Ａの組長は、チンピラから成り上がったヤクザで、いまは引退しています。弟分の組を直参に入れてからやめて、カンボジアにいます。カンボジアで、シアヌーク殿下から貴族株みたいなのを買っちゃって、貴族になっています。ヤクザでも、金を払うとカンボジアの貴族になれる。

山口組が、組を抜けるのを許したのは、金です。今は上納金さえ入れていれば何もいわない。武闘派なんて、全然流行《はや》らない。お金をとにかく本体に入れたやつが勝ちでグングン上にいく。

いちばんいい例が、新宿駅前のヤミ金ビルです。サラ金よりもひどくなったヤミ金が、新宿駅前にビルをいっぱい持っていた時期がありました。解明していくと、ほとんどが五菱会。五菱会というのが、山口組のヤミ金の手先の元締めになっていました。

歌舞伎町への進出

山口組が、歌舞伎町を乗っ取るまでの流れには、ものすごいものがありました。どんどん人を送り込んで来た時期がありました。新幹線のグリーン車には幹部、ひとつの車両をビシッと満席にしたのが組員です。大量のチンピラに至るまでの組員が、みんな歌舞伎町に行く。あの辺のビジネスホテルとか、つまらない宿なんかまでが満室となった。ヒルトンなどの一流のホテルは、幹部が泊まっている。

山口組は薬物をやっていましたが、世間向きは「薬物禁止」です。日本浄化同盟という薬物禁止の運動を表向きやらないと、取り締まりでつぶされてしまいます。だけど、裏ではとんでもない。すごかったんです。

田岡三代目のときにもそうだった。裏でやっていた。二重構造です。田岡は「ダメ」といっていました。「ダメなものはダメや」といっていたから、直参が定例会に行くと「何もしてません」という。

田岡自身は、「クスリをやると体が弱る」といって嫌った。彼は、刀を持って相手に切りかかるタイプなんで、シャブなんてとてもできなかったらしい。

アメリカに積み立てた金は没収される

新宿駅前のヤミ金の話に戻りますが、すごくなってきてどうしたかというと、儲けた金を不動産に替えていくんです。不動産にしなかった金は、アメリカに積み立てていた。このときの五菱会の隆盛が、ヤミ金の走りでした。

売春で得た金だとか、売春関連のポルノビデオで儲けた金もある。昔でいうとブルーフィルムですが、いまはプライベートAVなんていうけれど、要するにポルノビデオです。その儲けは、上納金として全部ヤクザに入っていきます。

3大暴力団は、そういうふうなお金を、そっくりアメリカに積み立てていたのです。ところが、それにアメリカのFBIが目をつけた。ものすごい巨額なので、「こいつを全部、国家予算に組み入れちゃおう」と、没収してしまった。

「これは、日本のマフィアが蓄積して米国に預けてる金だから、凍結だ」なんていって召し上げた。山口組がやられました。住吉会も、稲川会も全部やられた。凍結の後に接収ですから、結局は、全部取られてしまった。

スイス銀行もケイマンもダメ

アメリカで没収されてどうしたかというと、結局はスイス銀行です。ところが、スイス銀行は、いまや昔の様相はありません。口が堅くなくて、当局がデータを要請すると、全部開示してしまう。

それで、いろんな企業の外信の連中だとか駐在の連中とつるんで、タックスヘイブン（租税回避地）である、カリブ海に浮かぶ英国領のケイマン諸島とかに預けていた。でも、これもいまや全部ダメ。パナマ文書が出てから、もうアウトになりました。

あぶく銭を持っているヤツラは、みんな悩んでいる。ロシアの指導者とか、昔でいえばパキスタンの大統領だったムシャラフとか、莫大なカネを手にした独裁者は、あっちに預け、こっちに隠し、「アメリカに逃げれば何とかなるだろう」みたいな形で、敵対国にまで保険をかけています。

金のあるヤクザは、ケイマンも積み立てられないんで、結局どうするかというと、子分の資産の中に紛れ込ませている。これが現状です。そしてそれも今後は、さまざま変わっていくでしょう。

第3章　麻薬捜査　警察VS.マトリ

マトリと組対5課の捜査の違い

伊勢谷友介は、マトリではなく警視庁の組対5課が逮捕しました。女優とか俳優とか、大物であればあるほど狙われます。ヒットしたら実績になります。警察の場合は、周辺の者を別の罪でパクってくる。

それで「これを見逃すから麻薬に関してネタをくれよ」という。伊勢谷も、この取引で売られてしまった。伊勢谷は大麻でしたが、覚醒剤なら、ヤクザのルートさえ押さえておけば、大体どこにいったかわかる。

マトリも5課も、同じ人間を追っています。ただ手法が違う。警察の場合は金があまり使えない。マトリの場合は、見せ金が使えるので、誘いやすい。札束を見せて、あぶり出して捕まえる。

昔のことですが、厚生労働省に遊びに行ったときに、Mさんという課長がいて、「これが見せ金だ」といって、何百万円という札束を見せられたことがあった。そのときは、まだ大学生ですけれど、「へえー！」なんていって見ていました。

「これを見せて、買うからっていうと、みんな信用するんだよ」なんていっていた。いまは、時代がどんどん変わってきて、ヤクザも賢くなる。密売人の外国のマフィアもどんどん賢くなって、お金を見せたぐらいじゃ引っかからなくなりました。

「もしかしたらマトリじゃないか」とか、「サツじゃないか」と疑ってきます。お金を見せるだけじゃもうダメになった。それでさらに踏み込んで実際に買ってしまう。違法行為です。そんなダーティーなことを、末端ではやっていたらしい。

警察の場合は、追っていって、違法行為をしたやつを別件で引っ張ってきます。「おまえ、なんとかをしただろう」と追い詰めていく。たとえば、「落ちていた財布を拾って届けなかっただろう。あれは占有離脱物横領罪といって刑法犯だぞ。前科者になりたいのか。じゃああいつの情報を出せよ」と取引を持ちかけると、情報を出すのです。

だから、別件逮捕が多い。

人数的には、組対5課のほうが多いです。というのは、全国に警察官が25万人いるからです。目と耳となる人数がすごく多い。5課の人間自体は、そんなに多くないけれど、協力する人たちは全国に25万人いると思っていい。

司法取引は警察の伝統

警察は、いわゆる司法取引を大昔からやっているので、その手を使いやすいのです。たぶん戦前からやっていた。戦前でいうと、「誰がマルクス主義の本を持っている」

とか、そういうことでしょう。

特高警察のころから、仲間を売っていたのが左翼だけれども、俳優もそうだし、思想家もそうでした。彼らが、地下に潜っている活動家を売っていたのです。それが、たまたま有名な人だと、いくところまでいってしまう。プロレタリア作家の小林多喜二のように、拷問されて殺されてしまう。

マトリは薬学の専門家

マトリは厚労省に所属しています。部署名もあります。厚生労働省地方厚生局麻薬取締部といって、どういう構成かは全部わかります。数も分かります。関東とか近畿とか、事務所が各所に分かれているのですが、すごく少ない。

ウィーンで、国際麻薬閣僚会議というのをやったことがあります。私は警察の出身なのに、厚生労働省に頼まれて、ウィーンに提出するアンチ麻薬の展示物を作っているんです。

それで、しょっちゅう厚生労働省の麻薬課に行っていた。課長というのが東大出で、課長の下の課長補佐というのが京大なんです。どっちも薬学部を出ている。そういうふうな連中ですから、クスリに関しては一家言ある。国家I種を取ったお役人だけど、薬学の専門家です。

お酒とタバコは薬物

マトリがつかむ情報は、すごいんです。空港に外国の飛行機が降りた瞬間に、情報はもうマトリに筒抜けです。顔認証で全部わかってしまう。だけど、決め手がないというのがマトリなんです。

マトリは、本当にみんな優秀です。取り締まりのときに、ヤクザそこのけの「なんじゃ、コラァ！」ってやるのは、警察とそんなに遜色ない。現場に同行してみると、やっぱり怒号を発してて、絶対に負けない。「すごいなあ」って感心するぐらいです。彼らは、薬物は何もやっていません。お酒以外は、という話ですが。

薬物のプロである彼らは「お酒とタバコは、あれは薬物だ」といいます。私も「あれは、政府がお金を取るための薬物だ」といっています。

大麻なんかより、アルコールのほうが危ないんじゃないか。お酒を飲ませただけで、人格が変わる。お酒を飲ませただけで、車で事故を起こす。酒は人を自滅させます。絶対に危ない。しかし、税金となるともうしょうがない。

タバコもそうです。マトリは、タバコは覚醒作用。お酒は酩酊作用で、拮抗する２

つの薬物だといっています。私も同意見です。医師にいわせても、そのとおりなんです。かたやアウェイキング、こなた麻酔作用です。

諜報機関の手法

諜報機関は、意図的にいろんなものを使います。ネタを持っている人は、落ち込んでいるのが多い。アメリカとか自由主義国の場合は、日本の薬剤を使っています。スルピリドというのを1錠だけ与える。すりつぶすと無味無臭なので、わからない。

そのクスリを与えると、落ち込んでいた人も明るくなっちゃう。日本の場合はよくわからないけれど、彼らは、そういうことをやる。

逆にあんまりハイになったやつだと、アルキルアミン系ヒスタミン受容体統合薬を1錠。そうすると、ふつうになる。ハイになり過ぎているやつが、少し静かになる。そうやってクスリで、不安定化した情緒を調整しているんです。

それは昔、MI6（イギリスの秘密情報部）が使った手です。諜報の世界は、じつに過酷です。MI6に関しては、こんなことがありました。

女王陛下の親族で、ケンブリッジを出たやつがいた。そいつの仲間で優秀なケンブリッジ野郎が3人いた。そのうちの1人は、最終的にアメリカに赴任してワシントンでＭＩ６のチーフになった。ＭＩ６の情報のトップだった。

ところが、これらの全員がＫＧＢのスパイだったのです。発覚して彼らは逃げた。その中の1人である、アメリカのチーフになっていたやつが、モスクワで亡くなりました。キム・フィルビーというトップです。

彼が、最後に何をいったか。「ロンドンで死にたかった」と側近にいったのです。このロシアに亡命したイギリス人は、モスクワで死にたくなかった。

彼は、モスクワでアパートをあてがってもらっていた。別荘もあてがってもらって、女もあてがってもらっていたのです。イギリスの暗いジメジメした監獄で過ごすよりは、ずっといいはず。けれども、最後の最後になって「やっぱりロンドンで死にたかった」と、イギリス人ぶりを発揮したという話です。

諜報の人間は、しばしば故国を失います。そんなことは覚悟の上だとしても、最後に思いもしなかったものに胸を突かれるという話です。

米国の機密情報を暴露してロシアに亡命した元ＣＩＡ職員のスノーデンというのは、アメリカ人ですが、あれも今まで、強気でいました。ところが、ついに発言がおかしくなってきた。「地底人がＵＦＯを飛ばしてる」みたいなことをいうんだけど、そうなる気持ちはわかります。

マトリの次の一手

伊勢谷の話に戻しますが、警察が見事に挙げた。やっぱり、マトリとしてはものすごく悔しい。何をするかというと、もう次の名前が出ている大物を追っかけています。映画俳優もそうだし、モデル、お笑いタレントなんかも必ずそうですが、彼らを守るものがあります。捜査関係者には、それがじゃま。

プロダクションのでかいところは、ヤクザや権力とツーツーになってるところがあって、それらに守られている。それでは安全かというと、そうでもないのです。

いまはいいとしても、そのバランスが、いつ崩れるかわからない。後ろ盾になっている親分が、病死するとか、出入りで殺されるとかがありうる。幹部がパクられることもある。それこそシャブで服役するとなると、守りがガタガタになっちゃって、取られる可能性があるのです。政権党の異変もかかわってくる。

ヤクザ組織がガタガタになったときは、チャンスです。マトリが「取れる」という可能性もある。だから、つねに動向を見ています。今回は、警察がうまいこと挙げられたからよかったけれど、あれを中途半端な形で逃したら、マトリに笑われる。「5課の下手くそ。うちにやらせておけば最後までやれたのに」といわれる。

現場でかち合う両者

長期にわたる案件も、いっぱいあります。清原がそうだったのですが、なかなか逮捕できなかった。もう何年もかけて、朝晩みんな張り込みしていた。そういうとき、5課とマトリの張り込みがかち合います。

かち合うのはよくあることで、過激派の張り込みでも起こります。

「あれは誰だろう」といっていると、公安調査庁だったりする。千葉県某所のパーキングエリアに不審な車がいっぱい停まっている。過激派の車です。中核だ、革マルだ、革労協だと、ナンバーからわかるんだけれど、そのあたりに「あれ誰なんだろう」という人物がいる。

警察の公安と公安調査庁がぶつかるなんてことは、しょっちゅうありました。専門性を持ったお役所と、警察との角突き合いはつねにある。こういうケースでは、だいたいは警察が勝ちます。９割勝つ。なぜかというと、武力を使える。公安調査庁にはない。

諜報のことについては、東大出の菅沼光弘という元公安調査庁の人が、いみじくもいっています。「何でも情報は入るけれども、俺たちにはそれを実行する力がなかった」と。「ホシをパクるのも、公安警察にやらせた」と。これは無念の言でしょう。

マトリも一緒です。麻薬についての知識は入る。薬学の知識も完璧に持っている。けれども、実行行為として警察にかなわないことが多い。残念だ。だから、警察は2方向から嫌われているんです。当然、私も嫌われています。

今後も両者が並び立つ

5課とマトリが組織的に一緒になることが、今後あるかといえば、ないです。役所が違うと障壁があるのです。

マトリにしてみたら、自分たちの存在意義をかけて、定期的に大きなのを挙げていこうとするでしょう。いらないという世論がつくられたらまずい。「麻薬の取り締まりは、厚生労働省の仕事なのかな」「いらないんじゃないの」といわれるのが一番怖い。それから、予算を減らされるのが怖い。

国際情勢が緊迫化しているときに、彼らが生き残っていくには、大物を挙げて、厚生労働省の麻薬取締部というところをずっとメディアの上に載っけていかないとダメなんです。それは公安調査庁も一緒なんですが。

彼らが生き残ることには、やっぱり意義があります。上のほうの官僚は、みんな東大法学部を出た人だから、全部つながっています。官邸に至るまで同類で、首相補佐官なんて、そんな人が多い。彼らとしては、「その一部が欠けてはいけない」ということです。

5課の位置と異動

警視庁の組織犯罪対策第５課に行く人は、別にエリートでもなんでもない。組対に空きができたら割り振られる。それだけのことです。所轄での活躍で、本庁に人事で吸い上げられてしまうやつが多いので、よく空きは出ます。だけど、ずっとマル暴をやっていたやつは、暴力団が関わるあらゆる事件の捜査を担当する組対４課に行けたりする。

組対５課のもともとの素地として、生活安全警察の中の保安２課というのがありました。５課には、その２課出身の人が多い。その保安２課系（保２にいた現役はＯＢになりつつあり、ほぼ入れ替わっている）の人が、組対５課に入ることが多い。彼らは年配の人たちです。新しい人は、たまたま実績を所轄のときに上げて、引っ張られる人が多い。

組対５課の場合は、それぞれが３分の１ぐらいずつです。元の保安２課のおっさんから薫陶を受けた捜査員で、幹部になった人。それから、所轄でバリバリやって薬物を挙げた人。それから、人事の都合で、空きができたから行っちゃった人。それが、3分の1ずつぐらいです。

だから、そんなにすごくないけれども、刑事講習という講習があるので、そこで薬物について一生懸命学んだ人は、優秀な取締官になる。いろんな文献を買ってきて、自ら学んだ人が、知識においても、マトリよりも上にいってしまうことだってある。

マトリは腕っぷしのあるエリート

マトリはエリートです。マトリの捜査員は、みんな大卒で、薬学部を出ているのが多い。空手も有段者が多い。一緒に1年がかりで仕事をしたので、わかっているのですが、以前は東京・中目黒に麻薬取締部がありました。そこでは、無線が違う。警察の無線と違うのが流れている。マトリだけの電波です。

マトリには、捜査1課、捜査2課とあって、腕っぷしもちょっとある。警察の場合は高卒もいますが、マトリは全員が大卒。マトリは、ピストルを持っています。逮捕権もある。特別警察の一部なので、司法権があります。

ニュースを見ているとわかるように、捕まったヤツらは、必ず東京のお台場にある東京湾岸署に行きます。なぜかというと、そこにはいろいろな施設が作られているからです。留置場のほかに、メディアの待機スペースがあるし、頭を下げるスペースもある。

頭を下げる場所というのは、バミリといって、バッテンのシールが貼ってあるところです。そこへ行って、「申し訳ございませんでした」とすると、カメラが「バチバチバチバチ」とやる。そのためにつくったものです。

本庁で取り調べをやって、湾岸署で留置場に入れられる。これが、リンクされている。女の人もあそこでやる。上野近くの菊屋橋に女性だけの留置場があって、昔はそこからもってきたのですが、今は湾岸署に入れてしまいます。

一言でいうと、こういうところがあると、メディアをそこで操作しやすい。

ずいぶん前の話ですが、ポール・マッカトニーが成田空港で、スーツケースの中にある大麻タバコを発見されました。

そのときは、マトリにパクられました。取り調べは、中目黒でやっていたのですが、留置場がない。どうしたかというと、マッカートニーを警視庁の留置場に入れて、そこから毎回取り出していたのです。

警察の勝ち続き

最近のマトリは、有名人だと元ＫＡＴ－ＴＵＮの田口淳之介と交際相手の小嶺麗奈、ピエール瀧を挙げていますが、警察に大体やられています。６：４で、６割は警察が挙げているホシです。警察は、いろんな犯罪を網羅しているので、どこからでも覚醒剤のネタが入ってきます。それが警察の強みです。

麻薬取締官が、いちばん困っているのは組織潜入です。ヤクザの組織に、身分を偽って密かに潜入する捜査です。ちょっと考えただけでも、大変なことだと思うでしょう。大卒のエリートが、ヤクザに身をやつす。できるのか、そんなこと。

麻薬取締官が、自殺したなんていう例が、いくつもあるのです。板挟みにあって苦しんだあげくの自殺です。「組織に潜入しろ」「実績を上げろ」とデスクの連中はハッパをかける。しかしなかなか情報が取れない。そりゃあ苦しいでしょう。

潜入捜査はとても厳しい。昔は、入れ墨を彫っただとか、何しただとか、いろんなつらい話がありました。人の犠牲の上に成り立っていた麻薬情報なので、だんだんやめてしまった。

水際対策ならマトリ

マトリは、水際対策は得意です。入国のとき、税関で捕まっちゃうなんていうのは、だいたいマトリに捕まる。税関自身は、縦割り行政で財務省です。厚生労働省でもないし、警察でもない。

では、税関が見つけた麻薬は、誰に知らせるか。財務省である税関の係官は、警察に委ねるぐらいだったら厚生労働省にと、ホシがマトリに行ってしまう。成田だって警備隊があるんですから。警備隊は警察なんですから。だけど、税関の人たちは、警察にやりたくないんです。

こういうことは、理屈をいってもダメなのです。つね日頃、税関の人たちと「仲良く」していなければ、事態を変えられない。どうやって仲良くなるか。どの分野でも、ビジネスの手練はここに苦労するのです。

正規のルートの水際対策は、省庁が中央省庁なんで、ちゃんとできます。けれども、北朝鮮とか、中国とかから入ってくるイリーガルなものは、海上保安庁が取り締まれない。ＳＳＴという特殊部隊は持っているけれども、この日本の長い海岸線にしては数が少ない。これではどうしようもない。

アメリカの麻薬捜査

外国との連携の捜査は、警察がやっています。もちろんマトリも、大使館を通じてやってはいますが、数は少ない。

マトリはアメリカがお手本でしたから、もちろんアメリカにも専門部署があります。DEA（Drug Enforcement Administration）という連邦麻薬取締局です。

FBIも麻薬捜査はできる。

FBIは、はめちゃうんです。FBIの中に麻薬取締部門があって、ジョン・デロリアンは、彼らにはめられました。

デロリアンという、映画『バック・トゥ・ザ・フューチャー』で使われた車型タイムマシンがありましたが、あれの元となる車DMC―12を考案したのが、ジョン・デロリアンという人です。GM（ゼネラルモーターズ）の副社長にまで上った天才エンジニアですが、自分で会社DMC（デロリアンモーターカンパニー）を起こし、理想の車DMC―12を開発。しかし、会社の資金繰りに苦しんでいた彼を、FBIが寄って行ってはめた。

FBIの手法ってすごいんです。「コカインを売ってくれ。そうしたら金を幾らでも払うよ」と、一般人を装って、ジョン・デロリアンに接触。取引現場を動画にして、動かぬ証拠にして、彼は捕まってしまった。これによってＤＭＣ—12の生産もストップ。

スターたちも、これには頭に来ました。ハリウッドだって反骨精神がある。『バック・トゥ・ザ・フューチャー』の中で、デロリアン（ＤＭＣ—12）をタイムマシンとして起用し、復活させた。この経緯は、全米の警察対ハリウッドの戦いで、ハリウッドが逆転で勝ったという象徴になっています。ＦＢＩがやったおとり捜査は、汚点にされてしまった。

目を見ればわかる

保安2課が、組対5課の前身なのですが、保安2課のころの麻薬捜査は、顔を見て、目を見てやっていました。刑事が「あいつはやってる」「やってない」なんていってたんですが、それが本当によく当たる。

薬物って、体の外見に出ます。目もそうだし、痩せ方もそうです。目は本当にそうで、薬物をやっていると、光が増すのです。ヘロインもそうだし、コカインもそうだし、シャブもそうです。目が輝く。痩せて、目がギョロっとする。食欲がなくなってきて、目がむき出しになると、そうなるのでしょう。手練れの医師もそれに類することを言っていました。

こういうことに詳しい歌舞伎町の住人も似たような発言をしていました。オールナイトの某番組を見ていて、その出演者の一人について、「あの目、あれはもう欲しがっちゃってる」「完全にやばい」と。そのタレントは、以前から薬物のうわさのある人でした。でも、プロダクションの力が強いところで、警察も、そこにはなかなか手が出せない。

連携がよかった時代は成果を上げた

組対5課は、保安2課の時代の刑事（デカ）さんたちのマインドが生きている。こっちも強いけれども、人間としての麻薬に対する姿勢は、厚生労働省のマトリも強いだろう。それで互角になっています。

昔は、やや警察のほうが優勢だった時期がありました。しかし、省庁改編したころといえばいいのか、2002年の終わりぐらいから2003年の3月いっぱいぐらいまで、マトリのほうが活躍していました。

その時期の警察は、マフィアを取り締まるようになった。中国マフィアを取り締まっていたので、そこに力が取られていました。2003年の4月1日から、組対5課が発足した。ちょっと水を開けられた時期があったけれど、これで互角です。

50年ぐらい前ですが、前述のMさんという人が課長をやっていたとき、マトリは目覚ましい実績を上げていた。そのころは、警察との連携がすごくよかった。今はあんまり連携がよくありません。

成田もできたし、羽田もあるということで、玄関口が増えた。それで、彼らの仕事が厳しくなったのです。人員はあんまり増えないけれども、仕事量がバンと増える。空港に入ってくる違法薬物といったら、とてつもない量です。それだけではない。船もあるし、麻薬取り締まりという職業は、これからも厳しい職業の1つになるでしょう。

マトリは、人員は秘匿。発表されていない。秘匿ですが、増えていないというふうなうわさです。私は知っていますが、増えていない。何人ぐらいいるかは、いってはいけないことになっている。何百人とかいうだけで、反社のほうで推定します。だから、いうことはできないけれど、以前とそれほど変わってない。

機動隊を動かす力

マトリは、警察より給料が高い。公安調査庁も警察より給料が高い。給料では、どっちにも負けているが、捜査に関しては、今は互角です。ただ、いろんなところから情報が入ってきて、司法取引ができるぶん、組対5課のほうが有利かもしれない。

というのも、組対5課は、人数がいくらでも出せるからです。機動隊の1個中隊を組対5課の傘下に置くこともできる。そうすると膨大な数になります。もう人員が違う。命令一下でそれを動かせるのは、組対の強みです。

マトリは女性が多い。これが強みなのかどうかわからないが、「警察より美人がいる」といわれています。

マトリには、「家族に本当のことをいえない」という苦しさはあるでしょう。ちょっと公安に似たところがあるのです。「子どもたちが狙われる」、「奥さんが狙われる」というのが怖い。反社の勢力は、半グレに至るまで家族を狙ってくる。それはスパイと同じです。

保安2課だったとき、躍起になって情報を集めていたのですが、マトリのほうがおしゃれにやっていた。マトリは、米軍基地に出入りして、いくらでも情報を集められた。それくらい語学能力が高かったのです。

警察のほうは、しゃべれるやつが数えるぐらいしかいない。つまらない事件でも、通訳センターに連絡して、通訳を呼んでいた。これじゃ手間がかかってしようがない。

だから、捜査ができて英語ができる警察官は、ひっぱりだこ。寝る暇もない。私なんかもろくに寝なかった。そういうハンディがある時代を通り越して、今になると互角。

マトリはいないとダメ

水際対策に関して、すぐに捜査員を増やしたいが、どうすればいいか。いろいろ検討されています。「警備員を捜査員に使おうか」という動きがちょっとある。そのためには、講習を受けないといけないし、資格を取らなければならない。そうなると難しい。

麻薬が流入していても、捜査員が足りなくて、手荷物検査でみすみす逃している。警備員がいても知識がないとダメだし、犬をいつでも使えればいいけど、いない場合もある。そのときには、捜査員が判定しなければいけない。匂いを嗅いで、「あ、大麻だ」と勘づけばいいけれど、その捜査員が足りないのです。

マトリは、連絡を受けてから動き出すのですから、「そもそも、マトリなんかいらないんじゃないか」と思うかもしれない。けれども、マトリはいないとダメなんです。

公安調査庁に対して、警察の公安があります。あれと同じように、どっちがどっちといえないぐらいの優秀さがある。ＦＢＩとＣＩＡがいて、傍諜と積極的な海外諜報があるのと同じです。いたほうがいいのです。類似の機関が複数あったほうが、日本国としての麻薬取り締まりにおける防衛能力は上がるのです。

麻薬は国際的な事案

麻薬に対しての捜査能力は、2つの競合するチームがあったほうが上がります。結果として、検挙数も上がる。海外から入ってくる麻薬の捜査は、警察的にいうと、生活安全警察の範疇《はんちゅう》に入るのですが、広い意味では刑事警察になります。しかも、諜報の警察である公安外事と連動している。

国際的な事案が、すぐに刑事警察系の事案につながる時代。そういう時代では、安全保障と防犯が一体化している。これは、もう何年も前からの傾向です。それも2つあったほうがいい理由です。

1つが急に忙しくなる場合があります。5課が忙しくなったら、そのときはマトリが一生懸命やる。日本国として見た場合は、どちらか1つではなく、2つあったほうが、明らかに具合がいい。

すべてについて、警察がオーバーパワーという形で優位性を保っています。内閣情報調査室は、各省庁から選ばれた人が来て構成しますが、内調の室長は必ず警察です。

これで見てもわかるとおり、諜報の世界のかじ取りを他省庁に渡さない。自衛隊の局長もいきなり警察から来る。土田警視総監（第70代）という人は、過激派に奥さんを殺されましたが、あの人は諜報の人です。だけど、自衛隊の学校である防衛大学校の校長になった。

それと同じように、警察中心に構成されている捜査世界というものがある。諜報の世界の捜査も、警察の捜査と連動しています。組織を単独で考える時代ではないのです。全体として考える。それが国民のためになる。

５課もマトリも、両方あったほうがいいだろうというのは、民主主義という大きな観点からも容認できることです。

犯罪の形態も競争も激化する

犯罪世界も新時代を迎えています。新たな犯罪の形態が生み出されるような傾向にあります。テロと麻薬が変わる。メディカルも含めて、すべて競争が激化する。その芽がもう現れています。

今までは、麻薬を自動車の部品、たとえばハンドルに仕込んだりしていました。この時代は終わりです。目方を量れば、簡単にわかる。

妊娠している女性に偽装して、中に麻薬を詰めて腹が大きいように見せかける。胎児がいると、レントゲンを撮れません。それが狙いですが、その時代も終わった。コンドームの中に麻薬を入れて、飲み込ませて、それが溶けないうちに税関を通過しようとする。そういういう時代も、もう終わりました。

溶けないカプセルにヤクを入れて、飲み込む。苦しくてしゃべれないけれど、通関では、二言三言話せれば済んでしまう。「なんで来たの？」「観光です」っていえば終わり。それもダメな時代になります。

いままでは通用していたやり方を終わらせたのは、検査のハイテク化です。通過すると、ひと目で内臓まで見える。今では、そういうような機器が発達して、しかも安くなったのです。２０２１年から、それが導入される。

そうなると、密輸の形態がすっかり変わるでしょう。今までの方法は、みんなダメ。通用しなくなった。妊婦もダメ。コンドームもダメ。溶けないカプセルもダメ。みんなバレてしまう。なにしろ、内臓が見えちゃうんですから。

その時代を経て、次は何が来るだろう。いろいろな予測がありますが、先祖返りかもしれないといわれています。ローテクの時代の方法が、また戻ってくるかもしれない。

絨毯を麻薬の薬液に浸して、乾燥します。その状態で密輸したら、ローテクで麻薬に戻す。１回水で戻して、これを煮詰める。手間がえらくかかるけれど、そうやれば麻薬にもどります。そういう時代がまた来るかもしれない。

人間がトリックをつかって持ち込んだりしない。最新機器が想定している場面を外して、何から何までローテクでやられたら、最新の機械は無力化されてしまいます。反応するのは、唯一犬だけれども、犬は少ない。次の時代は、変な時代なんです。

最新の機器が、体の中をスキャンできない状況はいろいろあるでしょう。たとえば、コロナ重症だというと、機器を通り抜けないで、そのまま担架で運ばれていきます。あれかもしれない。そうすると、生物化学兵器と麻薬の密輸が一体化するかもしれない。

第4章　麻薬乱用期は何度も来る

第1次乱用期は警察官もヒロポンを使った時代

大戦中の1941年。正真正銘の覚醒剤「ヒロポン」（成分はメタンフェタミン）が市販されたのが、この年です。疲労がポン、なんてちょっと面白い名前がついていますが、疲労ばかりでなく、恐怖心も吹っ飛びます。

いよいよ追い詰められて、特攻隊攻撃に転じるときに、軍にこの覚醒剤使用の腹があったんだろうと思う。大西中将という人が、「お国のために飛行機に乗って、突っ込んで、敵の戦艦を沈めてこい」といったときには、すでに軍の中枢部に、覚醒剤使用の頭はあったにちがいない。

敗戦とともに、軍に備蓄されたヒロポンが放出されて、町の薬局で買えるようになりました。昭和24年が乱用のピーク。覚醒剤取締法ができて、禁止薬物となったのが昭和26年（1951年）ですから10年間合法でした。

当時、ヒロポンを使っていたという警察OBには、ずいぶん会いました。もう辞めてしまった班長経験者だから、最高位でも巡査部長・警部補ぐらいのロー警察官です。そういう人たちから、いっぱいすごい話を聞いた。

その中の一人、山口班長はアメリカ軍とパトロールをするようになって、拳銃を持たせてくれない時期があったという。一人でパトロールするときには、どうしたかというと、薬局に行ってヒロポンを買って、打つ。それから小石をあらゆるポケットに詰めて、パトロールに出たそうです。

で、どうしたか。黒人兵が日本の婦女子を物陰でレイプしようとしているときに、耳をめがけて石を投げつける。そうするとちゃんと耳に命中するんだそうです。シャブやっていると、ピッと当たる。

「うわ、すごいですね」といったら、「そんなの当たり前だよ。おまえはやったことないからわかんないだろうけど、俺はやったんだよ」と、その山口班長はいっていました。

芸人もヒロポン

戦後まもない数年間は、薬局でヒロポンが買えました。特攻隊で出陣しなかったために知らなかった人もそうだけれども、年配の日本人は、みんな経験があるはず。戦争に行かなかった当時の若いものも、家にあったヒロポンを使ったといっています。

芸人は、みんな使っていたそうです。ビートたけしは、「由利徹さんがやってい た」といっていました。寄席が始まったときに、楽屋の天井が抜けて落ちたら、ものすごい量のアンプル（注射剤の入ったガラス容器）が散乱した。ビートたけしが、まだ無名の頃の浅草はそうだったらしい。

ヒロポンは、大日本製薬（現・大日本住友製薬）がつくっていましたが、眠気覚ましになるという謳《うた》い文句で売っていたから、手軽に利用されたのでしょう。

第2次乱用期は経済成長期

当局やメディアが規定する第2次かどうかはわかりませんが、高度成長の一歩手前から、1989年のバブルが弾けるまでを、第2次乱用期だと思っています。ヘロイン中毒の人も反社の儲け口にはなったけれども、その頃からシャブが入ってきた。二大麻薬併用の時期がはじまったのが、そのころです。鎮静させるヤクのヘロインと、興奮させるヤクの覚醒剤。「ペエ」というヘロインでおとなしくしていて、「シャブ」で活動するということは、併用していた時期に起こった現象です。

第2次に入ってきた覚醒剤は、北朝鮮製です。北朝鮮から入ってきたことは、アメリカの情報でもう間違いない。北朝鮮のどこの港から荷が積まれて公海上に来ているかも、全部上から撮っているのです。

覚醒剤は、完全にケミカルです。北朝鮮のセイスイとヨンビョンが製造のメインで、昔、日本の化学工場があったところです。そのまま転用してシャブを作っただけですが、セイスイのシャブの成分は、ヨンビョンとは違っています。だから、打ったやつの血液と薬物の成分を調べると、どこから来たのかがわかってしまう。

北朝鮮から海上で日本に入りますが、台湾経由も多かった。北朝鮮から日本に入るときは、軍人が積み出して、船で持って来る。海上に投げ込んだものを、日本の暴力団が受け取っていた。

暴力団は、主に在日のヤクザです。その一番最後の大物がウ・シユンという在日のヤクザ。刑務所に行きました。ウ・シユンはメディアの人には無名でしょうが、当局の関係者はみんな知っています。

偽ドルのスーパーKも北朝鮮産です。ドルをかく乱し、同時にお金が儲かる。どうも偽札づくりは、違法薬物とは切っても切れないようです。

北朝鮮への送金は、どうしているのか。日本で払い込むと、地下銀行で向こうで受け取れるという方式があります。万景峰号《マンギョンボン》で通貨が行き来するということもあった。

かなりの金額だから、送金が大変だけれども、北京を経由すれば平気です。中国と北朝鮮は、ツーツーですから、それはできる。ただ、中国がピンはねします。中国は必ずやる。中国がピンはねしたものが北朝鮮に入る。金日成《キムイルソン》がいたとはいえ、北朝鮮の力がなかったからです。

生産能力はあるけれども、いいように中国に使われていた時代はあるのです。2代目の金正日《キムジョンイル》になってから、北朝鮮はいうことを聞かなくなった。

その変化は、核開発が進んだのとイコールなのです。中国に頼らず、偽札や麻薬が売れるようになったからです。外貨を獲得し始めると、態度がでかくなった。金正日の時は特にすごかった。金日成の死ぬ間際もすごかったのですが、2代目になってからダメになるだろうと思ったら、もっとすごくなった。

新宿は台湾系マフィアの天下だった

1980年代になると、台湾のマフィアが日本に来て、まず新宿からのしあがってきた。その頃というのは面白くて、台湾人がメインのマフィアだったのに、次第に大陸の中共の支配下のマフィアが、どんどんどんどん強くなるのです。

今はナンバーワンが大陸系の北部の人。旧満州の遼寧省、黒龍江省、吉林省の出身の人たちが多いのです。東北《トンペイ》マフィアといいます。

ヘロインは、アフガンもそうだけども台湾でもできる。アヘンを作れるところは全部作れる。アヘン自身はケシですから、どこでも取れる。日本国内でもできます。もちろん作っちゃだめですけど。

台湾からは、最初はヘロインが入ってきました。ペエといわれていた。ちょっと遅れて、覚醒剤が多くなります。マフィアである、香港の三合会と台湾の竹聯幇《チクレンパン》とが手を結んだ時代があったのですが、同時に薬物だけじゃなくて、偽札づくりもやっていました。

台湾系の実力者といえば、中華料理を始めたり、いろんなことに投資したり、鴻海《ホンハイ》みたいになっている人たちです。もともとは薬物で財を成した人も多い。台湾系で入ってきたクスリは、いろんなところから集まってきた大陸産を含んでいます。

そういう影の部分がありますが、今、彼らは立派な押しも押されもしない実業家です。もう3世ぐらいまでいっています。蓮舫の親父さんが、台湾バナナを全部握っていたという話があります。一般的な話としてではありますが、台湾バナナとお砂糖を握っていた人は、大体薬物と関係しているという声もあります。

なんでバナナを独占できるのかといえば、もちろん強いところに献金したんでしょう。李登輝《りとうき》は高砂族だけれども、おそらく蔣介石《しょうかいせき》の縁につながる人たちには献金しているはずです。台湾も世界的に有名な賄賂国家ですから。

わかってしまえば簡単な話。お金です。莫大なお金です。利権ということなのですが、利権を買うのは、中国は何千年も前からやっています。

総統と台湾マフィアの関係

最初の台湾系のマフィアは、蔣介石と一緒に台湾に来た人たちです。蔣介石と来て、外省人となったけれども、その後は高砂族との混血が多い。李登輝は優秀で有名な高砂族です。李登輝になってから、日本との結びつきがどんどん強まります。そして、なぜだか知らないけれど、李登輝は薬物が嫌いなのです。

李登輝の後、陳水扁《ちんすいへん》が総統になりましたが、薬物を扱っていた可能性があります。陳水扁総統が、竹聯幇の庇護者だったという説があります。マフィアは、当然のことに薬物もすべて扱うのです。

蔡英文《さいえいぶん》は違うといわれているけれども、男の総統は台湾のマフィアと関係している人が多いのです。陳水扁が一番顕著だった。馬英九《ばえいきゅう》は分からない。馬英九は大陸派です。独立には反対だった。彼は漢民族ですが、彼を動かしているのは、お金でしょう。大陸から、スキャンダルで脅かされたという話もあります。

麻薬ルートには、北朝鮮ルート、台湾ルートとありましたが、いずれにしても、受けたのは日本のヤクザです。この2ルートですべてというわけではなく、もちろんタイも少量ありました。フィリピンという説もあって、今もあるのですが、少量です。

ドゥテルテは本当に麻薬にはうるさくて、ミンダナオ島の市長をやっているころ「殺してもいいぞ」とはっぱをかけ、刑務所が満杯になったぐらいです。

ドゥテルテの前はどうだったのか、わからない。麻薬をそれだけまん延させてしまったのは、賄賂が利いていたからかもしれないのです。

80年代に大麻文化の氾濫が起こった

大麻は、根強い人気がずっと昔からあって、1980年代にはもう大麻はメインドラッグでした。その頃は、摘発するのは成田などの税関の連中が中心でしたが、甘かった。

海外ロケ、取材の多い出版社などでは、一時期、社内は大麻だらけ。編集者がよくいっていますが、カメラマンからライターまで、みんなやっていた。徹夜で記事を書きながらスパスパやっているのは、たばこじゃない。大麻でした。

当時はハシシとかいっていました。ガンジャっていう名前も耳にしましたが、これはインド産です。産地によって、それぞれお好みがあった。今は掛け合わせです。体にあまり障らないすごくいいものがある、と言う人もいます。

あの当時は、税関で捕まっても逮捕されませんでした。注意で終わり。マスコミあたりでは、会社に知られても平気だった。捕まっても、あんまり社会的にもおとがめもない。違法なんだけれども、大麻は変なポジションにあった時期があるのです。

第3次乱用期の安くて危険な脱法ハーブ

第3次は、バブルが弾けた後で、90年代以降です。バブルがすごかったときには、買える物は何でも買うという日本人のマインドだったから、高い違法薬物にも手を出すようになった。

それから急に、日銀の三重野さんによって蛇口が閉められて、バブルが弾けます。そのあたりから違法ドラッグという、脱法ハーブが氾濫する。これは安かった。だから一気に広がったのです。

一方では、暴力団が力を失い始めて、ヤンキーというか、暴走族が関東連合をつくったりしていた。その流れとともに、脱法ハーブの最高の時代が来るのです。安いヤクを売る密売所がいっぱいできた。

脱法ハーブは、原料はチャイナマフィアが供給していました。中国マフィアが、原料を輸入して、供給する。脱法ハーブに関しては東南アジアルートです。

原料を買ったグレ者たちが、自分たちで、ブレンドといったらおかしいけれども、強くして密売所で売る。グレ者には、いろんな連中がいました。みんな犯罪者です。ブレンドは、格闘技の連中もやるし、芸能の連中もやるし、フリーターもやっていました。「ブレンドの仕方によっちゃ危ねえんだ」とかいっていたけれど、死ぬんです。

そのグレ者たちの中にまじって、ＩＴに関係した者たちがたくさんいた。ものすごく多くいたといわれています。ＩＴで成功しないやつが、みんな脱法ハーブに流れて、金を稼いでいた。

それが、半端じゃない額だった。なにしろ密売所がたくさんできて、そこでいくらでも客が買うからです。都内のあらゆる盛り場に密売所ができました。たとえば池袋、新宿とか、あらゆるところです。

この流れに対してとどめを刺したのが、２０１４年６月、池袋での中国人女性のひき殺し事件です。脱法ハーブの密売所から出てきて、そのまま運転席で火をつけて吸って、即、事故。ひかれた女性は亡くなってしまった。あれで、当局も本腰になり、脱法ハーブの流行も最後になりました。

大麻もシャブも健在

この時代になっても、第2次の北朝鮮ルート、台湾ルートは消えていません。シャブはずっと来ていました。相変わらず北朝鮮から。大陸ルートはずっとあります。大麻はどうだったのかというと、いろんな薬物と一緒に来るのです。MDMAとか、LSDとか、コカインとかいろんなものと一緒に来る。

これが、すべての海ルートから来ます。いろんなところから船が来るとき、それらの薬物を積んでいるのです。船がつくと、海上保安庁とか、いろんなところがチェックに行きます。それで見つけるときもあるし、見つけられないときもある。そのまま入ってきちゃうことがあるので、麻薬探知犬を使うようになったのです。

大麻は、インドからも来るし、タイからもいくらでも来ます。ヘロインがすごいといわれているアフガニスタンも、じつは大麻もすごい。あそこの土壌が最高らしい。国内も3大地域があります。福島・長野・北海道です。他でも取れますけれど、やっぱり乾燥した寒冷地が最適だそうです。

もうひとつ、あいかわらずなルートがあります。米兵ルートがそれです。

日本には、岩国とか、米軍の基地がたくさんあります。あのルートは強くて、米国のルートも、まだ生きているといえるでしょう。

　90年代以降は、結構いろんな種類の物がいろんなルートで入ってきていました。乱立の時代。クスリの多様化の時代ともいえるかもしれません。

どれをやるかは職種で違う

　このように、ヘロイン、覚醒剤、コカイン、大麻と共存する形で、脱法ハーブ全盛の時代があった。どれを選ぶかは、職種で違いました。

　寝ないで働く人はシャブをやったり、コカインをやったりする。コカインで捕まったピエール瀧なんかは、恐らくその時代からやってただろうといわれています。コカインが好きだということは、ヤクザと遊びたくない人じゃないでしょうか。ヤクザと遊びたかったらシャブをやるのです。

　何をやるかは、職種によるともいえますが、要するに生活習慣です。ずっと夜中に起きていなきゃならない職業は、ファミレスもそうだし、いっぱいあります。寝ないで働く人はやっぱりアウェイキング系麻薬。

コカインは南米売春ルートで新大久保へ

　コカインは南米から来るものと、中米メキシコ産があります。南米マフィアは、売春ルートで入ってきました。東京は、新大久保にコロンビアの女性たちが来ました。ヤクザが、コロンビアの女性にストリップをやらせる。そうして体を品定めさせて、売るんです。日本国中を行脚していくのですが、必ず南米マフィアが一緒について回る。その頃から、寝た客にコカインを売っていたのです。

そのコカインは、中味はほとんど混ぜ物です。すぐひび割れるのでクラックとも呼ばれていました。

早く中毒になる麻薬は儲かるものですが、コカインそのものはピュアで高い。だから、儲かるかどうかはわからない。

第3次は渋谷

第2次乱用期の中心地は新宿でした。第3次においては、六本木もそうだし、新宿ももちろんそうですが、渋谷です。渋谷の若者、裕福な家の子どもを中心にひろがっていった。あらゆる若者にです。大学生もそうだし、高校を中退した若者でもそうです。渋谷からすぐの自由が丘もすごかった。「おしゃれな自由が丘」といわれていましたが、行けばクスリが買えたのです。

クラブ文化とともに地方へ

コカインは、最初のころ、新大久保を中心にして、南米諸国からの人たちがほそぼそと始めていました。おそらく、実験としてデータを取ってたんじゃないか。

コカインは、東京中心ですが、クラブ文化がすごくなってからは、地方も変わらなくなった。福岡もそうだし、仙台もそうです。

南米という言葉でくっちゃ悪いんだけれども、群馬県の大泉町もそうです。ブラジルも一緒です。外国の人がたくさん入っている地域はコカインです。

静岡県の浜松も、トヨタの工場があるからその一つです。ラテン系の民族が入っていると、「ある」と思ったほうがいいと、捜査経験者たちにいわれたことがあります。

密売は六本木の墓地

クラブドラッグともいわれるＭＤＭＡは、やっぱりおしゃれなドラッグなんですが、一時的に精神錯乱になります。踊りまくるのが好きな人は、その錯乱状態が好きなんです。

六本木の遊び場で広がっていったものですが、六本木というところは、すべての薬物が手に入るところです。だいぶ渋谷に移行してますが。

六本木駅から近い、しゃぶしゃぶ店のその裏あたりは、墓地になっています。あの辺で黒人が売ったりしています。「墓石の陰でお金と薬物が交換されている」というわさがありましたが、ほんとうにそうなんです。あとは車の陰。そういう場所は、証拠となる写真が撮れないからです。

ＭＤＭＡぐらいのちょっと手の込んだ物になると、東南アジア製ではなく、旧ユーゴ製です。旧ユーゴスラビアからアジアに入って、東南アジアにくるときに、大きなマフィアがいないと全体を采配できない。

途中でクスリを持っていかれちゃうこともあるし、殺されて、全部売り上げを取られることもある。やっぱりがっちりと組織が引き受けないとダメらしい。バックパッカー出身者に言わせると、アジアも怖いのです。

一般人がネットで売り買いする時代

麻薬の乱用期としての「いま」は、どういう時代なのか。これには２つの見方があります。

あらゆる薬物がまん延している。６種類ぐらいあって、どれもが、これまでになく身近なのです。ネットで売り買いできるようになったからです。社会学的にいっても、あきらかに別次元の構造になっています。

もう1ついえるのは、シャブを使う人が一般人にまで広がったこと。社会にとって危険な乱用状態です。それで芸能人、有名人たちがたたかれるようになった。取り締まりキャンペーンの一環です。

霞が関の中央官庁の官僚たちは、みんな第3次の終わりぐらいだといっている。大麻やコカインに新種はできているけれども、危険ドラッグのようなまったく新しいタイプの麻薬は出てきていない。

だからそれに対応して、法律をつくるに至っていない。

私ら現場の捜査官経験者は、現役、ＯＢも含めて、「第4次が始まった」と感じています。それは取り締まりの実感からもきています。多忙になるときには、その裏に国際政治の事情が控えています。

たとえば、北朝鮮の覚醒剤。北朝鮮は、国際的にたたかれてちょっと勢いが弱くなると、偽札と覚醒剤を作ろうとします。そうすると、現場の取り締まりに当たっている人間が、すごく忙しくなる。多忙の波が来るのは、国際情勢と関係があって、北朝鮮の勢いがたたかれた時期なのです。

現場は、こういう変化が起こるようになったときから、新しい次元、つまり4次に入ったと認識しています。

新違法薬物の時代

いま、進行しているのは、新違法薬物時代です。新しいタイプの「脱法ハーブ」が出て以来、クスリの流れが変わってきました。名前が変わって「危険ドラッグ」となって、取り締まりが厳しくなりました。大麻が、西側諸国で相次いで、ほとんど合法化されるという流れも出てきました。

大麻については、日本人の意識にも新しい流れが生まれています。海外旅行で向こうに行った人が緩い意識を知って帰ってくるので、国内の空気が変わってきたのです。でも、依然として大麻取締法はあるし、覚醒剤取締法はある。それで、2つの意識を持ちながら、日本の中高年も若者も過ごしているところなのです。

そのなかで、芸能人、特にミュージシャンだとか、アーティストといわれている音楽や絵画の世界の人たち、また社会改良家を名乗る人たちが、こぞって大麻解禁に動いている。

そうすると、取り締まりも厳しくなる。厚生労働省も手を緩めない。警察も手を緩めない。

いま、その軋轢《あつれき》が生じています。それに耐えている薬物愛好家たちは、どうしているかというと、闇に頼るのです。町の違法薬物を売っている業者に頼る。そして内に引きこもるわけです。

コロナ禍のなかで、おそらく、家で違法薬物は使われているでしょう。そういう噂はあります。水面下での違法薬物の使用が増えていたのです。

クスリの拠点は、東京都内のあらゆる盛り場です。渋谷・新宿・蒲田・池袋、それから六本木は当然のことながら、8カ所から10カ所あるといわれています。シャブだけではなく、違法薬物といわれている物は全部扱われています。「覚醒剤ブーム」といわないで、「第4次薬物ブーム」と呼んだほうがいいというのは、そのためです。

値段は上がっています。ワンパケ7000円前後で買える覚醒剤はあんまり変わらないですが、供給がストップすると2000円ぐらい上がる。でも、たいしたことない。倍になることは考えにくいのです。

中国共産党とマフィア

私はいま自衛隊のシンクタンクに所属していますが、自衛隊が注視しているのは、中国共産党の意向を受けたチャイナマフィアの動きです。チャイナマフィアが、中国共産党の意向を受けて流入させている、いろんな違法薬物を考えると、手を打たないと間に合わない。

チャイナマフィアは、全世界のマフィアとつながっています。彼らが、中国で生き延びるためには、中国共産党の意向を絶対に無視することはできません。従わなければ、極めて厳しいやり方で取り締まられてしまう。

中国共産党のやり方を見ているとわかるでしょう。独立機関だと思っていたら、いつの間にか海警も武装警察になり、人民解放軍の中に入ってしまった。中央政府の意向で身分なんかいくらでも変えられるのです。

そうなると、チャイナマフィアも出自がどうのこうのといってはいられないのです。ずっと続く裏社会では、中国の東北部、旧満州と日本がいっている遼寧省、黒龍江省、吉林省の出身の東北マフィアがナンバーワンだとされてきました。北京とか、上海とか、香港マフィアは、ずっと下のほうを形成しているのですが、全世界のマフィアとつながっています。

しかし、武力で一番強いのは、東北マフィア、東北部のマフィアであることは、依然として変わらない。それで、日本のヤクザ、裏社会を形成している反社の団体は、こぞって東北マフィアとの取引をずっと続けている。

しかし状況が変わって、中国共産党の支配を受ければ、そんな出自をめぐる力関係なんて吹っ飛んでしまうでしょう。

中国マフィアはメディカルも支配

日本のヤクザは、チャイナマフィアの凄さを認識しています。身に沁みて知ったのは、感染症まで抑え込むことができる中国マフィアのすごさ。ＳＡＲＳが日本に飛来したことがかつてありましたが、その時には、日本国内で猛威を振るわなかった。歌舞伎町には、咳をしている東北マフィアと、彼らが送り込んできた女性たちがたくさんいたのです。ところが、いつの間にか地下病院でそれを殲滅《せんめつ》してしまった。治してしまったのです。それでＳＡＲＳの流行は全国に拡大しなかった。

ＳＡＲＳを食い止めたというよりは、持ってきたのに、自分たちで治しちゃったので広がらなかった。そういう裏社会の評価があります。「中国マフィアはすごい。メディカルまで支配している」と。これは住吉会も稲川会も山口組も全部認めているところです。

戦争による人・モノの移動の変化

オーストラリアを中心に、アメリカやイギリスも含む5大英語圏が軍事的な取り締まりを強めるとき、自衛隊が使われることになります。これからは、自衛隊が力を持つ時代に移行していくでしょう。

一緒に守るといっていますが、自衛隊が米軍の尖兵、オーストラリアの尖兵になります。戦争がひとたび起きれば、いろんな法律が少しずついじくられて、戦地へ自衛隊が赴くのは間違いない。そうなれば、違法薬物の種類も、姿かたちを変えて流入してきます。

自衛隊が、かりに無傷で戦場を通り抜けても、薬物は流入します。いろんな商社を通じてだとか、人の行き来が激しくなれば、当然薬物の往来も激しくなることは、容易に予測できます。

時代は移り変わった。安全保障の形はもうガラッと変わった。となると、人・モノ・薬物の往来も激しくなる。薬物は、今まで時代の変化に応じて、移動形態が変わったり、使われる種類も変わってきたけれど、これからは全部の薬物が出揃うでしょう。大麻系とすべての違法薬物系。化学合成したＭＤＭＡにしても、ＬＳＤにしても、使用目的が変わるだけで、あり続けるでしょう。

そのなかで、王道をいっているのは覚醒剤。シャブです。メタンフェタミン系。それから、ケシから取れるヘロイン。コカから取れるコカイン。これは揺るがない時代に入ってきたといえる。

家で使用することになると、セクシー系の違法薬物であるＭＤＭＡ。それから大麻。あとはコカインも一部使われているといわれています。

労働系はやっぱりヘロインです。昔、つらい労働で体が傷んだときに、アヘン一発で治していたことがありました。ヘロインはアヘンです。それから、コカインはやっぱり目がランランとしている知的な労働者。こっちが使われるだろう。そうすると全部使われる。だから、予想としては、麻薬の乱用は上がる。

日本に入ってきて、それをみんなで売りさばくわけですが、それはやっぱり若者だといわれている。世代的には、ティーンエージャーが売りさばきにいくだろう、と。その上には暴力団がいます。反社といわれている３大メジャーを頂点とする、全国の暴力団がいます。

第5章

麻薬の種類　神仏の恵みか、悪魔の手先か

戦争と宗教があるところが発祥の地

世界史的に、麻薬発祥の地はどこか。戦争があるところはすべて、麻薬の発祥地です。ギリシャでもそうだったし、ローマ時代もそうです。もちろん自然の草をやるのです。アヘンなんかは、万能の薬だった。麻薬ではなく薬草でした。アヘンは痛みを取る。本当に病は気からで、痛みが取れたら、だいたい治ってしまうのです。江戸時代に、阿芙蓉《あふよう》といっていたのはアヘンです。

精神世界でも使われました。向こうの世界と通じるための、祭祀から発達してきました。自然の草でトランス状態にする。宗教では、そういうことが多かったのですが、それが日常の世界に普及した。大麻はそうです。

護摩を焚いて祈禱するという習慣が、日本には随分昔からあった。密教的な儀式です。火を焚いて、ものをくべて、部屋中に充満した煙を吸う。大麻の煙を吸うと、酩酊状態になります。恍惚とする。それがあったといわれているのは、1000年前のことですから、日本の麻薬使用は古いのです。

大麻があればアヘンもあるはず

平安時代から大麻があったとすれば、一緒にアヘンもやっただろうと考えられます。

時期としては、大麻、アヘン、大麻、アヘンときただろう。両方が併存されていた時もあっただろうという話です。

お寺に祈禱に行くということは、大麻をやりにいったのと同じです。外護摩ではなく、内護摩というのですが、特にお坊さんを招いて祈禱に行き、狭いところで、火を焚く。そのときに吸い込む煙は、大麻の煙だったり、アヘンだったりすることがあっただろうと、いわれています。

密教的に、一般の人には「特殊な草」のことはいわずにする。そういう時代があった。坊主にしても、神主にしても、霊能者にしても、そこで明らかに威力が発揮されます。トランス状態になって、みんなが帰れば、「やっぱり効いた」という話になるでしょう。

これは隠蔽されているのではなくて、語らなかっただけなのかもしれません。本当に深く食い込んだ人しか、この情報は知らない。密教というものの強さ、日本における神道の強さというものは、想像以上のものだったのです。

仏教伝来は大麻伝来だった

大陸との交易があるということは、必ず麻薬も入っている。利便性のあるものは、すべて入っていたはずです。「仏教伝来」というけれども、あれはじつは「ガンジャ伝来」ではなかったか、という説があります。

インドでは、大麻のことをガンジャといいます。GANJA。これはたぶんヒンズー語でしょうが、イギリス中心のバックパッカーにとっては、「ガンジャ」というと「インド産の大麻」のことをいいます。インド北部は、大麻の産地ですから、仏教的秘儀として、絶対に入ってきただろうと思います。

みんなトランス状態が欲しい。仏教伝来と同時に、裏技も入ってこなかったらおかしい。仏教伝来と同時に、じつはガンジャも入っていたと考えられます。

大麻を吸うと酩酊して自家用機を墜落させる

さて、時は移ります。いま「明日にでも大麻を解禁しろ」という声が高くなっています。ミュージシャンとか芸術家としゃべっていると、それはそれは熱気がすごい。その宴会に医者がいれば、もう喧嘩です。

医者は、「やっぱり害がある」と譲らない。私はそういうケースを扱ったことがあるからわかりますが、害はあります。2年ぐらい吸いつづけると、頭が狂っちゃう。10回や20回は何ともない。タバコよりもはるかに依存性はない。

だけど、大麻をやっていると、やっぱり事故を起こします。吸った直後に運転するとぶつけちゃう。アメリカの事例でもあります。アメリカの場合だと、車にプラスして自家用機がある。大麻をやると、自家用機が落ちちゃうのです。

血液検査を密かにやると、やっぱりすごい酩酊状態だとわかります。大麻は酩酊します。

危険ドラッグのトリック

「危険ドラッグ」という、安い薬物が出回った時期がありました。これは化学薬品です。日本における薬物の規制は、化学構造で厳密に定義されています。ほぼ同じものであっても化学構造が一部異なっていると、規制の対象から外れてしまいます。

そのわずかのすきを狙って、作られ、販売されたものが「危険ドラッグ」です。その実体は「合成カンナビノイド」ですが、「合法ドラッグ」と名乗り、次に「脱法ドラッグ」となり、最後にその正体どおり「危険ドラッグ」になったという経緯があります。

見た目が明らかに草で、「脱法ハーブ」とも呼んでいた。「大麻のような効果がある」と宣伝されていて、乾燥した大麻が混ざっているとも思われていた。どうもおかしい。よく調べてみたらそこらの草を乾燥させた中に、薬品が混ぜてあるのです。「カンナビノイドの合法化」とかいって、「じゃあ合法的に大麻が吸えるぞ」と、みんなやったんだけれど、合法じゃなかった。「ハーブ」というのがミソで、ヤツラの口車に乗っちゃったわけです。

酩酊状態でいうと、大麻よりもっと強く、性格が変わってしまう。幾つかの密売所から買ってきて、より強力なものを合成できるのです。それを使うと、一瞬で人格が狂っちゃうのです。

どう変わるかは、使ってみなきゃわからない。その人の体調によるらしい。いいことがあると「ほわーん」となるし、嫌なことがあると「うわーっ」と攻撃的になるみたいです。

薬を使うと喋りが違う

かつて、ある元大物芸人さんがこんなようなことを言っていました。「芸人になって一度でも爆笑をとったことがあるヤツはドラッグなんかに手を出さんでしょう。満員の会場で客席が波打つように笑うあの快感はドラッグ以上ですよ」

しかし、お笑いタレントの中にも薬物使用がうわさされている人がいます。

ステージに立ったら、ぼんやりしてちゃまずいのです。クスリをやってるとウケる。喋り方が違うんです。

田代まさしがそうでした。田代まさしを応援している過激パフォーマーのメンバーにきいたら、「やってなかったことはないでしょう」といっていた。テレビの収録のときも、舞台でもやっていた。特に映画になると、「一発で監督のオーケーをもらわなきゃいけないからやってるんだ」といっていました。

田代まさしは、ミュージシャンでありながら、コメディーの才能があり、バラエティーの世界でも重宝されていた。音楽的センスがある人は、なにをさせてもリズム感がいい。トークでも、調子を合わせるのがうまい。

別に持ちギャグがあるわけじゃないけれど、バラエティーで求められるのは、お笑いの役目だったりするんです。「即興で何かやるというのは、プレッシャーがすごい」といってました。

性格の悪いやつは覚醒剤

大麻に行く人と、覚醒剤に行く人がいる。それらの人を見ていると、なんとなく感じることがあります。

大麻というのは、性格のいい人がやる。シャブをやっていると、性格がちょっと悪くなる。もともと悪いやつがシャブをやると、もっと悪くなってしまう。やっぱり深入りして、反社とつるむからでしょう。

供給源がヤクザだと、それにかぶれてしまうのです。ある大物ミュージシャンAがそうです。有力武道団体と暴力団が持ってくる覚醒剤で、やられた時期が何年かある。その時期には、周りのスタッフは随分殴られたらしい。

Aは「これは性格だよ」といっていたけれど、薬物が原因だったそうです。気分が高揚するだけじゃなくて男性ホルモンが出るから、次々と女に手を出していたという。

Aが、なんでまたその武道団体にのめり込んでいったのか。それはその団体が関西の有力暴力団に関わっていたからだろう、といわれていました。覚醒剤の供給源は、ヤクザルートです。「なるほど。よくわかった」という感じです。

元アイドルの女性とつき合っている頃が、覚醒剤の消費量がピークだったらしいんです。覚醒剤を入れちゃって、サンドバッグに立つと、周りのスタッフが怖がった。殴られると思ってのことですが、やっぱり殴られるらしいです。

Aは、嫌疑不十分で保釈されました。

インテリは大麻にいく

大麻には陶酔感というか、酩酊作用があります。ちょっとアルコールに似ていて、覚醒剤ほどには暴力的にならない。そういうことがあってのことでしょうが、マトリの意見では、「いい人が大麻をやっている」。

伊勢谷と大物ミュージシャンＡを比べて、「伊勢谷はインテリで、Ａは非インテリ。そこが違う。インテリほど大麻のほうにいって、非インテリほどシャブを打っちゃう」

非インテリは、人を威圧したがる。それには、シャブのほうが有利に働きます。伊勢谷は人を威圧するタイプじゃないらしい。だから、シャブはダメだった。まあ、そういう人種が嫌なんでしょう。「伊勢谷のほうが、人間的には上だ」といわれていましたが、結局は大麻でやられちゃう。

伊勢谷には、ＤＶ疑惑が出ていますが、大麻をしてもＤＶになるんです。すべては男性ホルモンのテストステロンによるのですが、大麻も覚醒剤も、どっちも上がります。だから暴力に訴えたり、セックスが強かったりするけれど、それはドラッグ全般にいえることでしょう。

ダウナー系のヘロイン、アッパー系のコカイン

コカインはコカの葉から作ります。コカは中毒性がすごいのですが、クラックからさらにすごくなる。コカインはアッパー系です。覚醒剤とよく似ています。

コカインがいちばん高い。というのは、持ってくるのに大変なんです。船で持ってきたりすると、船員を買収したり、船長を買収するのにお金がかかる。苦労して、いろんな物に入れて運び込みます。封筒から何からに仕掛けをつくる。スーツケースを二重底にする。マフィアもお金を取るし、運び屋もお金を取る。それで高くなる。

覚醒剤自身は、北朝鮮とか、台湾だとか中国で作っています。ケミカルでフェニルメチルアミノプロパンがその本体です。

アッパー系というのは、中枢神経に作用して興奮状態をつくるもの、それに対してダウナー系は中枢神経を麻痺させ、どよーんとした状態をつくるものです。アッパーは覚醒。ダウナーは鎮静。

覚醒効果のある薬物は、覚醒剤、ＭＤＭＡ、コカイン、ＬＳＤ、タバコです。鎮静効果のある薬物は、アヘン、ヘロイン、大麻、お酒です。

ケシから作るのはヘロイン。前段階のアヘンがケシから作られて、それを精製したものがヘロイン。ヘロインは「ペエ」といって、ダウナーなんです。

コカ・大麻・ケシの３つはどれも植物なんですが、精製していく段階でケミカルになっていきます。

MDMAはセックスドラッグ

ＭＤＭＡは化学合成したもので、出回り時には「エクスタシー」などと呼ばれたセックスドラッグなんです。いろんな色をしたおしゃれな錠剤なので、クラブなどで気楽に使われました。ＭＤＭＡは、もともとは東ヨーロッパで作られて、最盛期には、年間30万錠から50万錠ぐらいが日本に入ってきていました。

自律神経系を破壊して、呼吸障害や、体温調節障害を起こします。最悪は死です。六本木のヤリ部屋で、押尾学が銀座のホステスを死に至らしめたのが、この錠剤です。心臓が止まってしまった。

旧ユーゴスラビアのマフィアからチャイナマフィアに行き、チャイナマフィアが日本に持ち込み、日本の暴力団に渡っていた。それを暴力団の手下とか六本木の黒人だとかが密売していたのです。ＭＤＭＡは覚醒剤系です。覚醒剤の中に入っちゃう劇薬です。

ＬＳＤは、人工的に精神分裂病を起こす。幻覚作用があり、幻覚剤といわれています。よい方に作用すると、幻想的な光景に包まれて幸福感を感じるといわれます。悪い方に作用すると、錯乱状態から、危険な行為に走って事故死する。これも化学合成したものです。自然由来じゃない。LSDは、諜報機関が作ったといわれている。CIA系統が関わったといわれています。

大麻の値段

大麻の相場は、1本2000円。一巻きがそのくらいです。伊勢谷は、自分で作っていました。タバコと一緒に巻いていた。葉巻みたいに両方がつぼまっていて、火をつけると線香みたいにジワーッと燃えてくるんですが、中に入ってる容量で、燃え方が違います。

密であれば時間がかかるし、スカスカであれば、タバコみたいにピーッとなくなっちゃう。いろいろですね。

ハシシいうのは大麻の樹脂です。ハシーシュが正確な発音。THC（テトラヒドロカンナビノール）という成分が、酩酊状態を引きおこす麻薬成分で、どの部位の樹脂なのかによって差があります。

大麻にしてもドラッグにしても、匂いはあります。服とか、パンツまで臭くなるので、すぐわかっちゃうんです。

大麻を禁止したのはＧＨＱだった

昔、麻なんて、日本の田舎ではどこでも作っていました。今だってそうです。衣類の素材に用いられています。密教や神社関係の儀式で使っていたのも麻です。みんななんとも思っていなかった。麻と大麻は同じ大麻草。大麻は大麻草の葉と花穂の部位のことで、ここにＴＨＣが多く含まれているのです。

いつから禁止されたのか調べて見たら、戦後です。昔から日本にあったものを、日本人がなんで規制するんだろうと思ったら、やっぱりアメリカさんが規制していた。大麻の禁止は、ＧＨＱの命令なんです。進駐したＧＩのマリファナ（大麻）使用を止めるために、日本国内を禁止にしたようです。

アメリカさんに逆らえた運動は、全然ない。結局、田中角栄もアメリカに逆らったらぶち込まれちゃったし、やばい国です。

税関にいく前にトイレに流す

東南アジアに遊びに行った出版社の社員が、ハシシを持って来て空港で捕まったという事件がありました。ヒッピー文化と一緒に、大麻が流行したころです。捕まったけれど、1週間ぐらいで出てきた。

当時は、会社に通知はなかったみたいで、「あいつが出社しない、どうしたんだ」って首を傾げて終わりです。「メディアだからオーケー」という傾向もあって、別の有名雑誌社の人が捕まったときも、「初犯だから」というのですぐ出されていました。

海外に一緒に行っていた人が、なかなかゲートを出てこないと、必死でみんなで探して連絡をするという光景もあった。「捕まるぞ」というので、「トイレに捨ててこい」と教えるのですが、当時は携帯電話がなくて苦労したようです。

税関に行く前に、トイレでいくらでも捨てられる。トイレにけっこう痕跡もあるんですが、あそこはほとんど調べない。犬も行かない。知ってて放置の形をとっている、というのもあるんですが。

大麻とアルコール

大麻は、よくないのは間違いないんだけれども、極めてライトな部分があって、「アルコールよりは、ちょっといい」とは内科医たちの言。アルコールは内臓を傷めてしまいます。

大麻は、10回や20回ぐらいは何ともない。

「4年間、毎日吸いつづけて、気がおかしくなっちゃった」というケースを扱ったことがあります。不思議なんですが、そいつは、お掘っぱたで発見された。

変なことを言うんで、通報されちゃった。大麻は、長い間使うと、脳が萎縮して、異常をきたします。

大麻と反社

覚醒剤が具合の悪いのは、反社が関わってる点で、そこが重いんです。反社が関わっていない覚醒剤事件は、今まであリません。

大麻は、反社との関わりようが薄い。それは、大麻を自宅で栽培することも可能だからです。

最初の頃は、大麻にも反社が関わっていました。栽培の方法も、誰も知らなかった。ところが、外国から来たテクニックやインターネットなどの情報で自作が普及してしまいました。反社と直接関わらずとも入手できるようになった。

それにつれて、「大麻は無害じゃないけれども、わりと軽い」という風潮がうまれてきた。「まあまあな、いい面もあるよ」となってきた。だから、安倍昭恵さんをはじめ、声高に「解禁！」と叫んでも、そんなに叩かれない。

高樹沙耶が、「医療大麻の解禁」を声高にいうけれども、彼女は石垣島で、男たちと使用していたんで、やられちゃいました。彼女を守る後ろ盾がないからです。

不思議な国・カナダ

大麻は、相変わらず叩かれる対象です。学会では科学者も反対しています。化学者もそうだし、理学者もそうだし、医者もそうです。みんなアンチです。これは、世界的な傾向で、やっぱりまだまだダメでしょう。

特にヨーロッパがきつい。「解禁されたのはヨーロッパから」というけど、当初、緩かったのはオランダだけ。ドイツとかフランスはけっこう厳しい。アメリカはオーケーだというけど、州によってです。その数も多くはない。

カナダは全部オーケーです。連邦政府がオーケーした。解禁です。カナダは、大麻を自分の国で作って、自分でやっている。

アフガニスタンから輸入するのもありますが、安い大麻だと体に悪い。モロッコで採れる「キフ」という大麻がありましたが、吸うと「吐き気がする」「頭が痛くなる」「寝込む」の三拍子がそろっている。

カナダという国には、不思議な素地があります。アメリカとは違う自由さがあって、拳銃所持の実数も、じつはアメリカより多い。けれども、事件件数はすごく低いのです。

女王陛下のコモンウェルスのくせして、自由なんです。イギリスとは全然違います。それで「住みやすい」という評判が生まれています。

カナダが解禁になったので、カナダとの国境に近いアメリカの州では、みんな大麻を売っています。

ワシントン州シアトルでも売ってるし、サンフランシスコでもどこでも売っている。日本のアーティストとか、絵描きたちが買いにきて、わからないように隠して持って来るのです。

税関の人間も財務省の人間だから、ゆるくない。しかし結局は、スパスパ入ってくる。それが俳優にいったり、ミュージシャンにいったり、タレントにいったりするのです。

自身の麻薬経験

捜査員として、実験的に試した麻薬はありません。イギリスに住んでいた学生の時に、大学に大麻を売りに来てたもんですが、同じ顔の奴が街でも売っていた。アムステルダムにも何度も行ったけれど、覚醒剤みたいなケミカルをやったことはない。アメリカに、ヘロインの捜査で行ったことがあります。データを持って、DEAという連邦麻薬取締局に行ったことがあるんですけれど、その時はデータだけです。

世の中には、興味本位から経験する人がものすごく多い。それから、友人関係がきっかけになっています。女性が、勧められて大麻をやると、拒否の垣根が取り払われちゃって、やられちゃうんです。セックスをするのが多い。

仲のいいカップルが、3組ぐらい同じ部屋で飲食をして大麻をやると、みんなやっちゃうんです。いちどきに人間関係がぶっ壊れる。そういうのが多かったです。大麻パーティって、そこまでいっちゃうのです。

みんなでやり合う。それだけ大麻で脳が狂っちゃうんです。

だから、「大麻が出るようなパーティには、彼女を連れて行っちゃいけない」といわれているのです。アメリカだけではなく、ヨーロッパでもいわれていました。「愛」を壊すこともあるのです。

覚醒剤の純度100%は怪しい

元ヤクザいわく、「俺たちは、純度１００％の物をやってるから大丈夫だよ」「末端のやつらは、いろんなシャブを持ってるから。混ぜ物してるものを扱ってる。だから危ねえんだ」。

うどん粉で量を増やしたものは、危ない。体を悪くするのです。

その元ヤクザだって、危ないものをやっていたにちがいない。奥さんを、妄想に駆られて殺そうとしていますから。

「絶対に大丈夫だから、あんたもやってみな」といわれたら絶対に信用しない。おっかないんです。「１００％純粋だから大丈夫」というヤクザの言い草は、そう思っているだけで、自分でだって検査したことはない。「高けりゃいい」と思っているだけです。

いろんなヤクザの情婦からネタをもらって、マル暴をやってるときも、いろんなこといわれて誘われました。

「やったらすごくなるから。それをやってセックスしてくれ」というんだけど、やったことはありません。おっかないからです。

親父からも、「覚醒剤をやったらダメになってしまう」って、こんこんといわれていました。

親父は内科医だから、作用機序が全部わかっているんです。女医の母親にもちっちゃい頃から、それを頭に叩き込まれて、もうビビってましたから。

覚醒剤を首に刺す女の子

『歌舞伎町のシャブ女王』という本に出てた女の子に、10回ぐらい会ったことがあります。

覚醒剤逮捕歴のあるヤクザの紹介で会ったんだけれど、そのヤクザいわく、「刑務所にいくら入れられても意味ない。刑務所の中でもう次のルートがわかる。出たらすぐ行く」。

会ってみたら、その女の子はきれいな女の子で、父親のわからない子どもを2回産んでるんです。というのは、覚醒剤をやってるときに複数の男と交わるからです。もちろんコンドームもしないし、「どこでもらった子かわからない」っていうので、驚いてしまった。「まあそうなんだろうな」っていう感じです。

覚醒剤がどんだけいいんだという話ですが、「腕に静脈注射でヤクを入れるんじゃ、遅くてしょうがない」んだって。効いてくるまでの、「0・何秒が待ち遠しいんだ」といっていました。

首に刺すと、いきなり脳にいくらしいんです。そこまでやったといっていました。あぶりとか冗談じゃないと。「注射で、首筋の血管にぶっ刺したそのときに、ビッといく。一瞬で、脳が冷たくなる、アイスに漬けたみたいに。それがたまらない」って、美しい顔でいっていました。恐ろしい。

ボロボロになる人、ならない人

田代まさしは、覚醒剤で見るからにボロボロになってしまった。清原は全然ボロボロになっていない。何が違うのか。

ひとつは、清原は純度の高いのをやっているんでしょう。純度の高いのを使うと、あんまり内臓は傷まないみたいです。混ぜ物が悪いと、田代になっちゃう。ああいうふうにボロボロになる。

もともとの、スポーツ選手とタレントの体力の違いじゃなくて、使ってる薬物の質の違いがあるかもしれません。等級があって、「パケ幾ら」っていって買いますが、一番高いのを使用したんじゃないでしょうか。

安酒を飲むと二日酔いするけれども、いいお酒は翌日残らない、そういうことと一緒です。

主な依存性薬物の一覧表

ダウナー系〈沈静〉

脳の中枢神経の働きを麻痺させる。理性のコントロールがはずれてリラックスした状態を作る。食欲は増進する。

ヘロイン	アヘン	大麻	アルコール
アヘンから抽出されるモルヒネから作られる。ベロベロに酔っぱらったような状態になり、幻覚を見る。想像できないほどの幸福感に包まれるという。効用が切れると禁断症状が激しい。依存をなくすことは極めて難しい。大量に摂取すると、呼吸困難、昏睡の後、死に至る。ヘロインは心身への影響が非常に強いことから、医学的な使用も一切禁止されている。	ケシから採取した液汁を凝固させたもの。神経感覚を麻痺させ、悩み事などが頭から離れる。アフガニスタンの反政府武装勢力タリバンの主な収入源。依存症を引き起こしやすい。慢性中毒になると、脱力感、倦怠感に包まれ、精神錯乱を伴う衰弱状態にいたる。	大麻の花や葉を乾燥させた「マリファナ」、樹脂や若芽をすりつぶして固めた「ハシーシュ」など、製法によって呼び名が変わる。酔ったような状態を強制的に作る。麻薬の中では比較的軽いが、これを入り口に他の麻薬に手を出すケースが非常に多い。常用すると脳が萎縮して、異常をきたす。やる気のない状態（無動機症候群）に陥ることもある。	過度な摂取は、誇大妄想的な感覚で、非日常的な行動を引き起こすことがある。時には意識がないまま暴力事件などにおよぶ可能性もある。消化器系の粘膜や肝臓を破壊する。麻薬の中で副作用を受けている人の数が一番多い。

アッパー系〈覚醒〉

脳の中枢神経を刺激して、過度の興奮状態を作る。
食欲は減退する。

	タバコ	LSD	コカイン	MDMA	覚醒剤
特徴	タバコに含まれるニコチンは、中枢神経を刺激し覚醒作用をもたらす。ニコチンは「毒物及び劇物取締法」で指定されているれっきとした毒物。依存性が高く、なかなかやめられなくなる。習慣づいた喫煙は呼吸器系、循環器系の内臓に障害をもたらす。	合成麻薬の一種。幻覚、幻聴などの強烈な幻覚作用が現れる。特に、幻視作用が強く、ほんのわずかな量だけで、物の形が変形、巨大化して見えたり、色とりどりの光が見えたりする状態が8～12時間続く。錯乱状態が激しくなり、興奮したまま危険な行為に及ぶなどで、自ら事故死してしまうようなケースも。長期にわたって精神分裂などの精神障害をきたすこともある。	「C」「コーク」とも呼ばれる。南米原産のコカの葉を原料とした薬物。覚醒剤と同様、神経を興奮させる作用があり、体が軽く感じられ、腕力、知力がついているという錯覚を起こす。その効果の持続時間は覚醒剤より短く、一日に何度も使用するようになる。高価なため米国では中毒患者による、コカイン欲しさのための犯罪が後を絶たない。大量に摂取すると、呼吸困難により死亡することがある。	別名、「エクスタシー」「エックス」。覚醒剤と似た化学構造を有する薬物で、化学的に合成された麻薬の一種。視覚、聴覚を変化させる作用があり、幸福な気分になったり、他人に対する親近感が増したりする。自律神経を破壊する。呼吸障害や体温調節異常などを起こし、死に至る場合もある。強い精神的依存性とともに、腎・肝障害や記憶障害などの症状が現れることもある。	「シャブ」「S（エス）」「スピード」などとも呼ばれている。強烈な覚醒作用をもたらすため、眠気や疲労感が無くなり、頭が冴えたような感じになる。しかし、効果は数時間で、その後は激しい脱力感、疲労感、倦怠感に襲われる。中毒症状になると、現実世界と幻覚世界の境界が認識できなくなり、無意識の状態で殺人を犯してしまったりすることがある。覚醒剤は麻薬の中で最も危険。

第6章　麻薬はやめられる

復活力は大麻が一番

逮捕された有名人、芸能人がたくさんいますが、全員クスリから抜け出してほしい。すでにヤクと手を切り、復活するどころか以前にもまして活躍している人もいます。最後に、応援する立場から、麻薬を考えていきたいと思います。

沢尻エリカはＭＤＭＡでした。清原和博が覚醒剤です。のりピーも覚醒剤。ピエール瀧がコカイン。彼は、大麻から入ったから、コカインと大麻です。ＡＳＫＡは覚醒剤。高知東生は覚醒剤と大麻。槇原敬之は覚醒剤。小向美奈子は覚醒剤。田口淳之介は大麻。小嶺麗奈も大麻。押尾学はＭＤＭＡ。田代まさしは覚醒剤。研ナオコは大麻。美川憲一も大麻。

みんな捕まった人たちです。めちゃめちゃ多い。そうやってみると、やっぱり大麻組は復活しています。伊勢谷友介も年明けから活動すると思います。

井上陽水も大麻でした。大麻はやっぱり習慣性が少ない。10回、20回でも習慣性がでてこない。ショーケンも大麻でした。やめようと思えばやめられる。

こうやってみると、同じ薬物逮捕といわれても、はっきりいって、大麻と覚醒剤じゃ大違いです。当局には、大麻のほうが軽いと思われています。伊勢谷友介の量刑が、重い軽いを問わず、大麻だったらやめられるし、社会復帰もできるでしょう。

やめるのはタバコよりも簡単です。何度も何度も禁煙に失敗する人がいるように、タバコはやっぱりヤバい。落ち込んだときに、タバコを吸うでしょう。そうすると、脳の中でバーンとドーパミンが出るのです。みんな、それが欲しいのです。気分転換がほしくて、肺いっぱいに吸い込む。

強化月間に挙げられた伊勢谷

麻薬で芸能人を挙げるのは、年2回ぐらい定期的のようにあります。強化月間があるのです。生安部とか、公安部とか刑事部で、それぞれある。今月はなになにの強化、たとえば拳銃とか、覚醒剤とか、部によって全部違う。

強化月間になると、大物を一発挙げるのですが、そのために2年ぐらい温めて、情報を煮詰めていくのです。そうしておいて、支障がない限り挙げる。一番有名なやつを挙げる。だから、伊勢谷の逮捕にはそういった事情もあるのでしょう。

沢尻エリカもやめられる

ＭＤＭＡの沢尻エリカもやめられます。ＭＤＭＡに限らないけれど、麻薬といわれるものは脳に快楽物質が出ます。それを、ほかのもので補給することができるのです。

たとえば、ドーパミンとセロトニンがすぐに欲しいときに、食物で供給できる。バナナをいっぱい食うと、セロトニンを得られる。ドーパミンは、タバコで得られます。沢尻は、少なくとも日本においては絶対に抑制が利く。そういう意味でやめられる。医者と知り合いになれば、沢尻はいいアドバイスでずっとやらないで生きていける。

断たないと内臓がやられる

押尾学もMDMA。合成麻薬は、内臓が傷むのです。心臓が耐えられない人はやるべきじゃありません。酩酊状態がほしいなら、アルコールで十分なんです。

MDMAは、かつてはエクスタシーといわれていました。セックスのときに、よく使われていた。その時代に、読売系のメディアが掘り下げようとして四方八方に手を伸ばして調べまくった。そうしたら、エクスタシーの本体がMDMAだとわかって、びっくりしたといってました。

日本テレビの報道にいた、Uという美人で有名だった記者から聞いた話です。もう寝ないでエクスタシーの情報を町で集めていた。そのぐらい、日本社会にとってはMDMAは衝撃的だったらしいです。ユーゴスラビアの内戦が落ち着いた頃だったというから、相当昔から入ってきてたことになります。

暴力団員が言っていた話ですが、女が刑務所に男に面会に行きます。そのときに「あれほしい」と男が一言いう。女は「わかりました」といって、手紙という形で薬物を房の中に入れることができるというんです。それがＭＤＭＡなんです。ＭＤＭＡを溶かした溶液に切手を浸して貼るだけ。「はい、どうぞ」で、スーッといっちゃう。

手紙を読んでいる男が、看守が横を向いているときに、切手をペリッと剝がして舐めると飛んじゃうんだそうです。ＭＤＭＡは、いわゆる覚醒剤系だから、やばいなと思うんですが、やめる気がなければ、こんなことまで考え出す。

コカインもやめられる

ピエール瀧は、コカインをやめられます。コカインは、同じアウェイキングドラッグに入れられていますが、クリスタルメスよりも自然に近い薬物です。自然物は全部やめられる。

クリスタルメスは、完全にメンタルがおかしくなるぐらいのケミカルです。体の中に、人類誕生以来、経験したことがないものが入ってくるわけで、体が傷んでしまう可能性があるのですが、コカインは自然物のコカが入ってくるのです。

大麻もやめられる。日本でも手に入るマジックマッシュルームも、全部やめられます。要は、いい内科医と出会うことです。専門の医者というけれども、内科医が多いですから。大抵は大丈夫です、どんな医師でも治療可能です。

覚醒剤だってやめられる

清原は覚醒剤ですが、よく頑張っていると思います。

現在もフラッシュバックに苦しんでいて、月に1度のカウンセリングを受け、「クスリから何とか回復したいと毎日過ごしてます」と報告しています。

大麻組よりも、清原のほうが、大変なやめる努力を一生しつづけなければいけないし、またしています。

昔は、覚醒剤でいくら捕まっても食えたそうです。『失恋レストラン』の清水健太郎なんか、干されている時も月収200万だった。「なんで？」ときいたら、ヤクザが寄り合いをしょっちゅうしていますが、そこへ行って歌を歌うと、おひねりで200万入ってくる。歌謡ショーなんかに出るよりも一日の稼ぎが大きいんです。

暴力団の宴会は、ひっきりなしにある。そこでまず歌を1曲だけ歌う。その後はトーク。「刑務所では、こんな係やってました！」というと、「うわー（パチパチ）」とくる。宴会の動画を見たことがあるんだけれども、松山千春なんか3曲歌いました。

しかし、ヤクザも景気が悪くなると、あんまり呼んでくれなくなる。干されてしまったタレントも、昔はVシネとかに出れていたけれども、それがなかなかない。不景気になったらダメなんだそうです。生きていかれるかどうかは、世相いかんです。

のりピーは覚醒剤でしたが、いま、コンサートをやっています。中国では、バンバン歌っています。中国は昔からのりピーのファンが多かったし、今もそうです。日本でも地方公演をやっています。

覚醒剤のむずかしさ

人が生きていくときに、やる気がなくなってしまうのが一番つらいのですが、覚醒剤はやる気が出る。それは、戦争に使えるということです。昔から、戦士に与える場合があった。日本でもやっていたのです。恐怖を取り除いて戦意を高揚させて、ドカンといく。死を恐れなくなりますから、命がなくなります。

これが薬物として定着した場合は、やめるのは至難の業。脳に依存性が強くて、カウンセリングで解けるかといったら、なかなか解けないらしい。イギリスにいたときに、覚醒剤の怖さをいろんな学校の先生から聞きました。やめるのに、向こうも大変な苦労をしています。医師だけじゃなく、ソーシャルワーカーまで動員されるのです。

対抗する薬が開発されれば抜けられる

覚醒剤は、いずれは医師が何とかできると思っています。理論上はできるということです。化学式がわかっているわけでしょ。フェニルメチルアミノプロパンという化学式があって、これに対抗する薬物を与えつづける。ニセ麻薬を与えていって、その量を減らしていくとできる。

ただし、その人の生育環境と遺伝子があるから、そこに研究の余地があるといいます。個別のケースごとにやっていくと、これにお金がかかる。政府の仕事の一つとしてやるべき、という声もあります。

田代まさしもやめられる

清水健太郎は、4回くらい捕まっていますが、やめています。何度も捕まっている田代まさしも、やめられます。辛い話ですが、症状が止まるということは一生涯ないといいます。

脳の科学の人からいわせると、成功を収めれば覚醒剤をやめられるらしい。そのことで脳が変わってしまう。だから、田代まさしは、何でもいいから成功すればいいんです。芸能人でいえば、映画やVシネマがヒットするなんていいでしょう。

もう一つは、海外に行く。そうすると環境が変わって、いまの適応の状態の外になってしまう。加えて本人の自制の強さと継続。これらに、なんとか成功すれば、いけるだろうという話です。

デブになって体が護る

田代まさしのことは、こんこんと南部虎弾からき聞かされました。田代はやめられると、彼はいっている。今、デブになったらしいんです。デブになったやつは、体が自衛して薬物をやらないみたいです。面白い話です。

田代の場合は、何回も地獄を見ているんで、大丈夫だろうという話です。デブになるのは、体の防御反応の１つなんです。脂肪細胞から、ホルモンが出るらしい。それが薬物をやらせないんじゃないか。長寿遺伝子に働きかけるホルモンが出ているらしい。人間は、薬物による一過性の精神錯乱よりも寿命を選ぶという説があるんです。それに期待すればできるんじゃないかなと思います。

いま話題のＮＭＮ（ニコチンアミドモノヌクレオチド・生体内物質の前駆体、ビタミンＢ系とも関係している）が、長寿遺伝子のサーチュインに働きかけるのは、小デブがいい。最初から小デブだと、覚醒剤にもっていかれちゃったり、引きずり込まれ

ちゃうけど、覚醒剤をやって地獄を見て、小デブになったやつはいけるだろうという
ことです。
ＡＳＫＡとか、清原とかはやめています。たぶん、メディカルのチームでいいのが
付いていて、いま述べたようなこともいっているかもしれない。こういうのがあるん
だといっただけでも、希望が湧いてきます。

やりたいといってもまだら

覚醒剤をやってる人も、四六時中ずっとやってるわけじゃない。やっぱり、やりた
いときと、やりたくないとき、別にいらないときがあるんです。覚醒剤に頼る気持ち
は、まだらなのです。
いわば、必要に応じてやる。何か収録があるとか、生放送とかで気持ちを高めたい
とか。田代もそうだったらしい。今日は頑張らなきゃとか、セックスするぞとか、な
んかわかんないですけど、そういうイベントがあるときに、自分以上のパワーを出そ
うとしてやる。
別に四六時中、欲しいというわけでもない。四六時中、欲しいのは、もう依存性で
すから溺れた後です。溺れる前は、ビジネスで使っている可能性もあるんです。その

うちに体が捉えられちゃうということはありますけれど。

覚醒剤をはじめても、一定期間は大丈夫です。自分の意思で、使う使わないを決められるうちは大丈夫。依存性に捉えられちゃうと、「もうないとダメ」になる。日に3回、4回と使うようになる。こういう話はずいぶんと被疑者や医師から聞きました。

反社の連中は覚醒剤を解く専門家

風俗の人がいます。貧しいとか、彼氏に借金があるとか、自分がセックス依存者だとかで10代から風俗に入る人がいる。彼女たちは、自分から覚醒剤を打っています。当然、依存性になる。ヤクザの女になると、いくらでも手に入るのと、守ってくれるというので、自分からそうするのです。

それじゃあ、その性風俗に従事している人は抜けられないかというと、抜けられるのです。どうして、と思いますが、反社の連中は、専門家なんだそうです。パズルを解くみたいにして、覚醒剤中毒を解くといいます。そんなことが本当にあるんだったら、こっちも知りたい。まだ真相はわからないでいますが、おそらく「知恵」ということでしょう。農薬のたっぷり使われた食べ物で知らずに体が不調になる人は多くいるけれど、濃い番茶で回復するという「知恵」のようなものかなとも思います。

同じ覚醒剤使用者といっても、いろいろなレベルがあって、たまに気合を入れたいときだけ使う人と、それがないともう精神錯乱になっちゃうという人とでは、同じには扱えないのです。

軍関係者はカフェインを使う

ヨーロッパでずいぶん聞いた話なんですが、軍の関係者はカフェインを使っているそうです。諜報、殺し屋、突撃する人と、いろんな軍人のタイプがいて、それがみんなカフェインを使っている。覚醒剤とか強烈に習慣性のあるものは使わない。今日やるぞ、今晩やるぞ、というと、カフェインの錠剤を砕いて、鼻から吸うんです。そうすると粘膜から脳にいっちゃって、バリッとなる。

諜報員はみんなやっているらしい。これはイスラエルのモサドから聞きました。「カフェインの錠剤を砕いて鼻から入れるのは、ＣＩＡもやっている」と。「やったことないの？」っていわれたんで、「ない」といったら「へえ！」って驚いていました。ここ一番ってときにクスリを使うのは、芸能人も特殊な軍人もみんな一緒です。

覚醒剤を使う動機は、それと同じだと思うんです。あるから使う。なかったら使わない。だから、希望はあるんです。

疑似物でもたせる

脳の依存性についていえば、脳に疑似物を入れると一時的に持つんだそうです。それは何か。シャブの場合はカフェインです。無水カフェインの錠剤を砕くらしい。粉にして、鼻から入れる。それだけです。見たことはないし、やりたいとも思わない。鼻に穴があくんじゃないかって怖いです。

カフェインをシャブの代替物にできるかというと、カフェインの量も関係するそうです。カフェインを、ものすごく煮詰めた状態にして濃くしてやると、ちょっと近いものが得られるという人たちがいます。しかし、一方で「致死量」というのも考える必要があります。ここからは薬学と医学です。

体内の水分がキー

欲しいときにないと、ガーッとかきむしっちゃうかもしれないですが、それも24時間つづくわけじゃない。やっぱり、「ウワーッ」というときの波がある。「あれ、なんか落ち着いてる。今はいらないわ」みたいな波がある。

体内の水を入れ替えてしまえば違うらしい。それはそれで苦しいんですが、タイの仏教寺院方式だといわれています。ヘロインもそうなんだけども、欲しいときってピークがある。それが落ちてくると意識がなくなってしまうそうです。

ヘロインが体内の水を入れ替えて抜けるんだったら、コカインもできます。コカインができるんだったら、フェニルメチルアミノプロパンといわれている化学合成のシャブもできるだろう、ということなんです。

だから、全部に希望があるということです。

お金がない人はどうしたらやめられるか。貧者には、そのタイの仏教寺院のヘロインを抜くための方式がある。大量に水を飲んで大量に出す。大量に水を飲んで大量に出す。これを、苦しくても1日に何回もやる。そうすると抜けていくらしいのです。

ヘロインもそうだけど、コカインもタイ方式でやると、時間も短くて、数週間で抜けちゃうらしいんです。だけど、体はつらいらしい。お水を大量に飲むだけでも苦しいのに、無理やり吐くわけですから。

この程度の苦しみに耐えられなくては、麻薬から体を綺麗にできない。耐えられれば、一生、綺麗になります。キーワードは体内の水分です。

あとがき

日本生まれの覚醒剤は、数多い麻薬の中でも、危険度は最悪です。

眠らずに済む、集中力が増して持続する、食欲がなくなりダイエットに効果的、興奮と幸福感が全身を包む、自信がつく、疲れがとれる……最初は、さまざまな快楽を得られると、使用者を錯覚させる、まさに「悪魔の薬」です。

しかし、使用後の副作用は悲惨の一言です。

肝臓がやられ、眼球の白目部分が茶色に変色し、顔色も黄色から茶色に変化します。

心臓や腎臓といった大切な臓器にも障害が出ます。

肺をはじめとする呼吸器にも異常が出て、常に息が「ゼーゼー」します。

のどが異常に渇き、汗を大量にかきます。

妄想状態となり、恐ろしい幻覚を見るようになります。

老化も激しく、皮膚が角質化しボロボロになります。

立ち居振る舞いも落ち着きがなく、常にキョロキョロして周りを気にしはじめます。温厚だった人が、疑い深く怒りっぽくなり、暴力をふるうようになるなど、獰猛になります。

覚醒剤をやめても、使用しているときの症状が出る「フラッシュバック」現象に苦しめられます。

必要以上に「元気」になった代償として、心身ともに破壊されてしまうのです。

親の命でも子供の命でも引き換えにして覚醒剤を買い続けたい、そんなことを話す女性もいました。

使っているうちは元気でも、しばらくすると体中に倦怠感を覚えるのは有名です。食事をするにも、お茶碗と箸を持つことすら、だるくてできない。座って食事することもできず、寝た状態で指でかきこみます。そのうち、ご飯や麺を噛むことすらままならなくなる……。

それが再び覚醒剤を使用すると、いきなり体がシャキッとして快楽がやってきます。ヤル気がモリモリ湧いて、自分に不可能はないと思い始める――。

覚醒剤がやめられなくなる瞬間です。

こうして自分では気づかないうちに、二度と這い上がれない奈落の底へと引きずりこまれてしまうのです。

2016年に覚醒剤取締法違反で逮捕された元プロ野球選手の清原和博は、5年たった今でも薬物依存症の後遺症と闘い続けています。

その闘いは非常に苦しく厳しく、ツイッター上でこう明かしています。

「フラッシュバック、自己否定でどんどん辛く苦しくなった」

「今日も薬物病院に行き先生に色々と話しをしてきた。先生に話すと凄く心が楽になる。突然の怒り、悲しみが一日中襲ってきて、ギリギリで生きてる。こんなに短いスパンでの通院は逮捕されて以来初めて…」

また、逮捕された際に担当していた刑事と電話で会話し、激励されたことも明かしています。

「今日、久々に自分を逮捕、取り調べを担当された刑事さんに電話した。刑事さんにはこの5年、何かあると色々と聞いてもらっていました。心配してくれて何かあればすぐ連絡ください、直ぐに会いに行きますから、一人にならないでくださいね、と優しく励ましてくれました」

いかに、覚醒剤という悪魔が恐ろしいか。

インターネット、ＳＮＳの隆盛で、物と情報の流通が活発になり、以前にも増して薬物入手のハードルが下がってきている今、さらなる麻薬撲滅の啓発活動と麻薬捜査の強化が求められています。

２０２１年６月

北芝　健

著者略歴

東京都葛飾区出身。祖父外科医、父内科医、母小児科医。早稲田大学卒業。在学中に一年間英国居住。貿易会社を経て警視庁入庁。地域警察（交番等）、刑事警察（盗犯、暴力犯、強行犯等）、公安外事警察（防諜、外国人犯罪、テロ、情報調査等）の捜査に従事。沖縄剛柔流空手六段。日本拳法三段。警視庁柔道二段。全国警察逮捕術大会の優勝チームのコーチを務める。（社）日本安全保障・危機管理学会の顧問、研究講座講師。日本経済大学大学院講師。漫画『まるごし刑事』原作者。

著書には『警察裏物語』（バジリコ）、『日本警察 裏のウラと深い闇』（だいわ文庫）、『悪の経済学』（KKロングセラーズ）、『心理戦で勝つ技術』（KADOKAWA）、『刑事捜査バイブル』（双葉社）、『警察・ヤクザ・公安・スパイ 日本で一番危ない話』『警視庁強行犯捜査官』（さくら舎）などがある。

麻《ま》薬《やく》捜《そう》査《さ》の裏《うら》舞《ぶ》台《たい》

二〇二一年七月一二日　第一刷発行

著者　北芝《きたしば》　健《けん》

発行者　古屋信吾

発行所　株式会社さくら舎　http://www.sakurasha.com

東京都千代田区富士見一-二-一一　〒一〇二-〇〇七一

電話　営業　〇三-五二一一-六五三三　FAX　〇三-五二一一-六四八一

編集　〇三-五二一一-六四八〇　振替　〇〇一九〇-八-四〇二〇六〇

写真　玉置じん／アフロ

装丁　長久雅行

印刷・製本　中央精版印刷株式会社

ISBN978-4-86581-303-6